Cœur de glace

Cœur de glace

Caroline B. Cooney

Traduit de l'anglais par
Marie-Andrée Warnant-Côté

Les éditions
Héritage inc.

Données de catalogage avant publication (Canada)

Cooney, Caroline B

   Cœur de glace

   (Cauchemars)
   Traduction de : Freeze Tag
   Pour les jeunes de 14 ans et plus.

   ISBN 2-7625-8763-8

   I. Warnant-Côté, Marie-Andrée. II. Titre. III. Collection

PZ23.C658Co 1997   jC813'.54   C97-941102-5

Freeze Tag
Copyright © Caroline B. Cooney
Publié par Scholastic Inc.

Version française
© Les éditions Héritage inc. 1997
Tous droits réservés

Conception graphique de la couverture : Michel Têtu
Infographie de la couverture : François Trottier
Graphisme et mise en page : Jean-Marc Gélineau

Dépôts légaux : 3e trimestre 1997
Bibliothèque nationale du Québec
Bibliothèque nationale du Canada

ISBN : 2-7625-8763-8   Imprimé au Canada

LES ÉDITIONS HÉRITAGE INC.
300, rue Arran, Saint-Lambert (Québec) J4R 1K5
Téléphone : (514) 875-0327
Télécopieur : (514) 672-5448
Courrier électronique : heritage@mlink.net

PROLOGUE

— Imagine si tu pouvais réellement geler quelqu'un, dit rêveusement Lana.

Les rayons du soleil couchant paraissent briller à travers la fillette, la faisant ressembler à un bibelot de verre teinté suspendu devant une fenêtre.

Ses yeux, pâles comme s'ils avaient été javellisés, fixent Mélanie.

Celle-ci sent sa gorge se serrer et, le souffle coupé, détourne le regard. Si elle continue à regarder Lana droit dans les yeux, elle débouchera de l'autre côté.

Où exactement ?

De quoi est fait l'autre côté de Lana ?

Mélanie frissonne, bien que la soirée soit encore chaude. Elle se sent vieille tout à coup. Pas vraiment âgée, non, mais plutôt confrontée à une puissance qui, dans les ombres, vient de se libérer d'un ancien monde, d'anciennes règles.

Ce soir, quelque chose va se produire.

Sur les bras nus de Mélanie, des milliers de poils minuscules sont hérissés de peur. Même sa peau a un mauvais pressentiment.

Le soleil se couche. Le bulbe jaune luisant le jour a maintenant fait place à un demi-cercle orange en train de disparaître. Mélanie voudrait courir vers lui et le saisir avant qu'il ne s'évanouisse.

Elle essaie d'ignorer Lana. Ce n'est pas facile. La présence de Lana fait penser à un chandail qui colle au corps et cette fille cherche toujours à te voler ta ration d'oxygène.

Lana est seule, tandis que Mélanie, assise sur la deuxième marche avec sa meilleure amie, Thaïs, admire la silhouette de Valérien Trahan qui, au volant du tracteur de jardin, tond le gazon.

Mélanie adore la famille Trahan. Toutes les familles devraient être comme celle-là. D'abord, monsieur et madame Trahan ont eu la générosité d'avoir trois enfants et non pas un seul, comme ses propres parents. Les Trahan sont toujours en groupe et Mélanie adore la foule.

Ensuite, les enfants Trahan ont des noms magnifiques. Monsieur et madame Trahan ont évité à leurs enfants d'être confondus avec des dizaines de leurs camarades de classe en refusant de les affubler de prénoms trop communs comme Marie ou Michel. Il serait impossible de les confondre avec d'autres. «Il n'y a probablement aucune autre famille sur terre dont les enfants s'appellent Valérien, Thaïs et Burnouf», pense Mélanie.

Valérien Trahan! On dirait le nom d'un héros de bande dessinée. Mais c'est surtout celui du garçon dont toutes les filles seront amoureuses, dans quelques années. Mélanie a de l'avance sur les autres. Elle a adoré Valérien toute sa vie.

Il tond autour des jeunes buissons, repassant soigneusement par-dessus une bande du gazon déjà tondu à chaque passage, pour s'assurer qu'aucune tige d'herbe ne reste entière.

— Imagine si *je* pouvais geler quelqu'un, dit Lana d'un ton rêveur.

Mélanie imagine très bien Lana ouvrir un congélateur et y enfermer une camarade. Puis s'en aller. Mélanie se sent glacée rien que d'y penser.

Elle déteste quand Lana participe aux jeux du voisinage.

Sur le Chemin des Fougères, les maisons sont neuves, mais les familles sont vieux jeu. Les terrains ne sont pas clôturés, les portes de cuisine sont toujours ouvertes et les enfants utilisent donc les réfrigérateurs et les salles de bains des voisins tout autant que les leurs.

Comme les maisons sont plutôt minuscules et que chacun a un petit frère grincheux ou une petite sœur pleurnicharde dont la couche a besoin d'être changée ou qui veut se faire porter, les enfants plus vieux restent dehors le plus souvent qu'ils le peuvent.

Bien que les marches devant la maison des Trahan soient exactement pareilles à celles des autres maisons, c'est pourtant là que les enfants ont pris l'habitude de se rassembler. Madame Trahan offre toujours des glaces à l'eau après le souper. Et tout le monde a appris à jouer au basket-ball en lançant le ballon dans le panier accroché au-dessus de la porte de leur garage.

Burnouf sort de la maison et saute en bas des quatre marches d'un seul bond. Il monte derrière Valérien sur le tracteur de jardin et lui lance des commandements de conducteur de chevaux. Il fait tournoyer un lacet de cuir dans les airs à la manière d'un lasso en criant à son grand frère de sauter par-dessus la clôture et de courir dans la prairie.

Valérien continue à tondre, sans tenir compte des cris du petit garçon de cinq ans accroché à son dos.

Alors Burnouf commence à jodler. Il a entendu ça à la télé et se propose de devenir jodleur plus tard. Thaïs se met à jodler en harmonie. Les membres de la famille Trahan se comportent parfois comme les loups d'une meute affolée.

C'est un autre comportement de Trahan que Mélanie trouve attirant : ils sont vraiment proches les uns des autres et si affectueux.

Mélanie devine ce qui va se passer ensuite. Thaïs va se rendre compte que jodler l'a assoiffée. Elle va entrer dans la maison, d'où elle ressortira quelques minutes plus tard avec un pot de limonade rose et des verres en plastique. Ses frères l'apercevront et ils accourront vers elle. Ils boiront tous le breuvage rose en écoutant le bruit d'été que font les glaçons se cognant dans les verres.

Thaïs ne rapportera pas le pot et les verres à l'intérieur de la maison. C'est Valérien qui le fera. C'est toujours lui qui se charge de la vaisselle sale et il ne s'en plaint jamais. Il accepte de s'occuper de la vaisselle tout aussi facilement que Mélanie accepte de porter des chaussures neuves.

Dans la famille Morin, on déteste faire la vaisselle. Mélanie a parfois l'impression que la seule phrase qu'on se dit chez elle, c'est : « Non, c'est à *ton* tour de faire la vaisselle. »

— Tu veux rester à coucher, Mélanie ? demande Thaïs tout en comparant la taille de leurs chaussures.

Celles de Thaïs sont plus grandes. Les Trahan sont si robustes.

Évidemment que Mélanie veut rester à coucher. Tout le monde veut toujours passer la nuit dans cette maison. Madame Trahan étendra des sacs de couchage sur le plancher de la salle de jeu et laissera les enfants regarder des vidéocassettes toute la nuit. Elle préparera des muffins et les offrira aux enfants au moment où ceux-ci seront prêts à s'endormir. Mélanie soupire de plaisir.

— Mélanie reste cette nuit! crie Thaïs à travers la moustiquaire de la porte.

— D'accord, répond sa mère.

La mère de Mélanie dirait plutôt: «Pas ce soir, ma chouette, je dois me lever tôt demain matin.» Mélanie n'a jamais compris quel lien il y a entre se lever tôt le matin et se coucher le soir.

Un sourire illumine le visage de Mélanie: elle se sent en amour avec chacun des Trahan.

— Je reste à coucher, moi aussi, déclare Lana.

— Non! réplique vivement Thaïs. Maman dit que je ne peux avoir qu'une seule invitée.

Lana sait que c'est un mensonge. Ses paupières lourdes se lèvent à la façon du capuchon d'un cobra. Elle reste longtemps sans rien dire. C'est glacial et terrifiant, cette capacité qu'elle a de pouvoir rester silencieuse. Aucun autre enfant n'y parvient. Ils sont trop jeunes.

Mais Lana n'a jamais eu l'air jeune et, tandis que les autres grandissent, elle ne semble jamais vieillir non plus.

Les lucioles commencent à voler, clignotant dans le noir.

« Nous sommes mesquins, se dit Mélanie. Nous traitons cet escalier comme si c'était un club privé. »

Elle aimerait faire une bonne action en demandant que Lana reste aussi à coucher, mais celle-ci l'effraie trop. Elle aurait horreur de se retrouver seule dans le noir avec Lana Anctil. Cette dernière ne fait jamais de bruit en se déplaçant. Alors que tu crois être seule, un minuscule courant d'air soulève les cheveux sur ta nuque, et c'est Lana qui est près de toi.

Lana traverse la rue et les cours comme si elle passait derrière des écrans de verdure, invisible et silencieuse.

— Je te déteste, Mélanie Morin ! dit Lana.

Elle le pense vraiment.

Mélanie doit détourner le regard de ces terribles yeux, blanchis comme des os dans un désert.

Un jour, Thaïs et Burnouf ont annoncé qu'ils allaient offrir des lunettes de soleil à Lana pour son anniversaire. Ils n'ont pas osé le faire. De toute façon, il n'y a pas eu de fête pour Lana. Alors ça n'avait pas d'importance.

C'est sur le Chemin des Fougères que les gens achètent leur «première maison». C'est ce qu'ils disent lors des réceptions:

— Bien sûr, ce n'est que notre première maison.

Mélanie pensait que ses parents allaient construire une deuxième maison dans la cour, mais ce n'est pas ce qu'ils veulent dire. Ce qu'ils veulent dire, c'est qu'ils quitteront le Chemin dès qu'ils pourront s'acheter quelque chose de mieux.

La maison des Anctil a la même taille et la même forme que les autres, mais là s'arrêtent les ressemblances. Monsieur et madame Anctil sont rarement chez eux. Ils ne font pas de grillades au barbecue dans l'allée le dimanche soir. Au cours des longues fins de semaine d'automne, ils ne regardent pas les parties de football à la télévision en buvant de la bière. Ils ne font pas d'anges dans la neige avec Lana en janvier. Et au printemps, ils ne plantent ni zinnias ni zucchinis.

Ils n'économisent pas pour acheter une deuxième maison.

Ils dépensent tout leur argent pour leurs voitures.

Ils conduisent tous deux une Jaguar. Celle de madame Anctil est noire, tandis que celle de son mari est cramoisie. Ils conduisent très très vite. Personne d'autre sur le Chemin n'a de Jaguar. Ce n'est pas le genre de rue pour ce type de voiture. Les autres familles possèdent des voitures familiales d'occasion qui consomment de l'essence de la même façon que leurs enfants engloutissent du *Kool Aid*.

Madame Anctil parle à sa voiture, qu'elle appelle «Jaguar» comme si c'était réellement une panthère noire. Elle lui parle beaucoup plus souvent qu'à sa fille.

Celle-ci est une fillette malingre et pâle aux cheveux très fins. Mélanie a pitié de monsieur et madame Anctil d'avoir Lana pour fille, mais elle a également pitié de Lana d'avoir monsieur et madame Anctil pour parents.

Le soleil tombe comme une assiette mouillée des mains d'un laveur de vaisselle. Mélanie s'attend presque à entendre le fracas de la chute et à en voir les morceaux.

Mais à la place, la lumière disparaît.

Il fait noir. Pourtant les parents ne crient pas encore à leurs enfants de rentrer. Les ombres emplissent les espaces ouverts ; les

cours sont maintenant des endroits inquié-
tants et sans limites; les visages connus deviennent flous et irréels.

Le regard inquisiteur de Lana transperce
Mélanie.

— Je te déteste, répète-t-elle.

Sa haine enveloppe Mélanie comme une
brume rouge et glaciale, frôle ses bras nus et
lui donne la chair de poule.

« Pourquoi me déteste-t-elle, moi ? se
demande Mélanie. C'est Thaïs qui ne veut
pas l'inviter. »

De nouveau, la chaleureuse pensée d'être
l'invitée d'une Trahan envahit Mélanie. Et
elle comprend la peine de Lana. Celle-ci
aime les Trahan tout autant qu'elle. Lana
aspire à faire partie de cette chaleur bien-
faisante, de cet amour folâtre et de cette
gaieté contagieuse et exubérante. Elle ne
pourrait jamais détester Thaïs. Elle veut
Thaïs. Elle déteste Mélanie parce que celle-
ci est la préférée.

Lana traverse la pelouse en direction de
la tondeuse sur laquelle Valérien et Burnouf
sont encore perchés.

Mélanie et Thaïs s'appuient l'une contre
l'autre et lèvent les yeux au ciel en disant:
« Fiou! » et « Échappé belle! »

Lana les entend. Elle les dévisage, sa
petite jupe blanche semblable à un drapeau

dans le noir. Mélanie se baisse comme si Lana allait lui lancer quelque chose. La chaleur de Thaïs est dans son dos, mais la haine de l'autre est dans son champ de vision. Puis Lana se détourne.

— Bonsoir, Valérien, dit-elle.

C'est inhabituel. Ordinairement, elle ne se donne jamais la peine de prononcer les formules consacrées, comme bonsoir ou au revoir.

— Bonsoir, Lana, dit poliment Valérien.

— Tu tonds le gazon? demande-t-elle.

— Non, il peint le stade, chuchote Mélanie, qui prend un ton sarcastique pour cacher sa peur.

Il paraît impossible que Lana ait entendu le chuchotement d'aussi loin et pourtant si.

— Tu vas le regretter, Mélanie Morin! dit-elle.

Mélanie n'a que neuf ans, mais elle est assez vieille pour comprendre qu'elle a commis une grave erreur.

«Tu vas le regretter, Mélanie Morin!»

«Excuse-moi, télégraphie mentalement celle-ci à l'intention de Lana. Excuse-moi, O.K.?»

Mais elle ne le dit pas tout haut.

— Descends de là, Burnouf! ordonne sèchement Lana au petit garçon. C'est mon tour.

— Tu sais, Lana, je ne donne pas de tour, dit calmement Valérien. Désolé, mais ce n'est pas sécuritaire et…

— Descends, Burnouf! répète platement Lana.

Burnouf descend.

— Arrête la tondeuse, Valérien, ordonne Lana.

Mélanie se cache derrière la vigne qui grimpe au treillis.

— Lana, il fait noir et… commence Valérien.

— Fais-moi faire un tour, dit Lana, sinon je gèle Mélanie.

Un étrange silence tombe sur la cour, en dépit du bruit du moteur qui tourne.

Ils s'attendent à ce que Valérien hausse les épaules ou soupire avant de dire à Lana de rentrer chez elle, mais il ne le fait pas. Il lui obéit. Elle monte derrière lui.

Comment le garçon peut-il supporter qu'elle le touche? Les longs doigts maigres s'agrippent à ses épaules comme des pattes d'insecte.

Mélanie a l'impression que Valérien et Lana tournent sur la pelouse pendant une éternité, tandis que les heures et les saisons se succèdent et que le gazon reste intact et l'obscurité, incomplète.

— Arrête la tondeuse, ordonne Lana de

sa voix morne. J'ai décidé qu'on allait jouer au chat gelé.

Burnouf s'enfuit. Il déteste ce jeu qu'il trouve trop effrayant. D'habitude, il regarde plutôt la télévision.

— On n'est pas assez nombreux, proteste Valérien.

— Arrête la tondeuse, répète Lana. J'ai décidé qu'on allait jouer au chat gelé.

Le garçon obéit.

— C'est moi le chat, dit Lana.

— Quelle surprise ! murmure Thaïs en se levant et en époussetant son short.

Mélanie adore jouer au chat gelé.

Quiconque est le chat doit toucher tous les joueurs. Lorsqu'on est touché, il faut se figer comme une statue et ne plus bouger jusqu'à la fin du jeu.

Chacun essaie d'impressionner les autres en restant immobile dans la position la plus périlleuse. Le mieux, c'est de se figer comme si on était encore en train de courir, une jambe en l'air. C'est difficile de garder son équilibre, mais c'est ça le défi. Ce qui est amusant aussi, c'est quand on réussit à garder la position «en train de tomber», le dos arqué, un bras tendu dans un geste pathétique. Les bons joueurs parviennent même à ne pas cligner des yeux.

À un moment du jeu, Mélanie pourra toucher Valérien.

Ou il la touchera. Mélanie aimerait lui prendre la main pour courir avec lui, mais le chat gelé est un jeu solitaire.

Tu cours seule.

Tu touches seule.

Tu gèles seule.

— Burnouf! crie Lana.

Il arrive immédiatement. Les ordres de Lana attirent comme des aimants.

Elle sourit aux trois Trahan et à la Morin.

Elle a encore ses dents de lait, mais son sourire est ancien et malicieux.

— Courez! chuchote-t-elle en jubilant.

Ils s'éloignent à toute vitesse.

Le ciel est rouge et noir, comme une grande meurtrissure.

— Courez! crie Lana.

Mélanie ne peut pas courir, seulement chanceler.

— Essaie de m'échapper, lui crie Lana en riant. Tu n'y parviendras jamais.

«Ce n'est pas un jeu», se dit Mélanie.

Une terreur singulière s'étale au-dessus du terrain. Les enfants courent comme si leur vie en dépendait.

Personne ne crie. Un silence mortel envahit le Chemin des Fougères.

Ils courent derrière la maison, par-dessus l'allée pavée, gardant la tondeuse entre eux et Lana.

Celle-ci les gèle tous un par un.

D'abord Burnouf, facilement parce qu'il est si petit.

Puis Valérien qui, bien qu'il soit le plus vieux et le plus fort, semble aussi le plus faible.

Thaïs pousse le seul cri de la soirée, aussi épouvantée que si elle était en train de se faire égorger.

Lana la touche et son cri cesse. Thaïs reste figée, la bouche ouverte et le visage grimaçant.

Lana se rapproche de Mélanie, les doigts pointés en une rangée de petits poignards.

Et pourtant Mélanie ralentit. Comme un mulot sous l'ombre des serres d'un épervier, elle veut que ce soit fini.

« Que *quoi* soit fini ? se demande-t-elle. Ma vie ? »

— Je ne me moquerai plus jamais ! crie-t-elle. Excuse-moi ! Tu peux passer la nuit chez les Trahan à ma place.

Lana revêt son sourire de glace.

Les genoux de Mélanie se dérobent sous elle et elle s'affaisse, agneau de sacrifice, aux pieds de Lana. L'herbe est réelle et fraîche. Elle voudrait s'étendre dessus et se reposer en toute sécurité dans les bras de la Nature, ne jamais plus affronter le regard dur de Lana.

Celle-ci reste un instant immobile pour savourer la défaite de Mélanie. Puis ses doigts la poignardent.

Mélanie gèle.

L'air est lourd d'attente.

Lana surveille ses quatre statues.

Aucune ne bouge.

Aucune ne cille.

Aucune ne tombe.

Lana ricane.

Elle se balance d'avant en arrière dans ses petites sandales roses, admirant ses enfants gelés.

Puis elle retourne chez elle.

La douce chaleur de la soirée enveloppe le Chemin des Fougères. Une odeur de gazon frais coupé flotte dans l'air. Tout est tranquille.

Madame Trahan crie à travers la moustiquaire de la porte d'entrée:

— Le jeu est fini! Venez! Il y a un biscuit pour chacun d'entre vous. Ensuite, au lit!

Habituée qu'on lui obéisse, elle ne reste pas pour s'assurer que les enfants accourent et retourne aussitôt à ses occupations.

Mais seules les lucioles bougent dans la cour.

Les yeux de Mélanie sont givrés.

Ses pensées se déplacent aussi lentement que des glaciers.

Elle a vu Lana quitter joyeusement la cour.

« Il serait temps que je rentre », pense Mélanie. Ses muscles ne se tendent pas, son expression ne change pas. Sa bouche grimace encore de peur, ses yeux sont encore écarquillés de désespoir.

« Il serait temps que je rentre ! » pense Mélanie.

Mais elle est gelée. Le temps est quelque chose qu'elle ne possède plus et rentrer est une action qu'elle ne peut plus accomplir.

Lana descend du trottoir, jetant des coups d'œil satisfaits aux statues de Burnouf et de Thaïs. Elle se dirige vers sa maison.

Madame Trahan revient derrière la moustiquaire.

— Je vais me fâcher, dit-elle d'un ton ferme. Levez-vous tous et rentrez, s'il vous plaît. Je suis fatiguée de toutes ces taches d'herbe sur vos vêtements. Allez ! Bougez !

Elle retourne vers l'intérieur de la maison. La lumière et la musique provenant du salon des Trahan semblent aussi distantes de la cour que l'Antarctique.

Lana est arrivée devant chez elle, et reste là, invisible.

L'obscurité tourbillonne autour d'elle et la fait disparaître. Sa pâleur fantomatique est transpercée par la nuit, comme elle l'avait été par les rayons du soleil.

Après quelques minutes, elle retraverse la rue. Sa main frôle légèrement l'épaule rigide de Valérien Trahan.

Il tombe mollement par terre, puis il se redresse et se secoue à la manière d'un chien mouillé.

Mélanie voudrait l'appeler, mais rien en elle ne bouge. Lorsqu'il se déplace, ses yeux ne peuvent pas le suivre.

— Allez, Burnouf! dit Valérien. Allez, Thaïs!

Sa voix tremble.

Son frère et sa sœur sont deux statues.

— Vous jouez tellement bien que je ne vous vois même pas respirer, leur dit-il.

Un rire s'étrangle dans sa gorge.

— Ils ne respirent pas, explique Lana.

Valérien retient son souffle. Il reste tellement immobile qu'il semble être gelé de nouveau. En un sens, il l'est. Lana l'a placé dans cet espace étroit suivant la compréhension et précédant la panique.

À travers le givre recouvrant ses yeux, Mélanie la voit sourire et se pencher en avant très lentement, savourant son pouvoir, s'assurant que Valérien comprenne bien ce qui se passe. Ensuite, elle lui offre la délivrance de sa sœur et de son frère.

Thaïs gémit.

Burnouf marmonne :

— Maman.

— Je les ai gelés, dit Lana, d'une voix qui se veut presque une déclaration d'amour à Valérien. Je peux le faire quand je le veux.

Elle paraît attendre qu'il lui remette un trophée.

Serrés les uns contre les autres, les trois enfants Trahan fixent Lana. D'une étrange voix tendue, Valérien dit :

— Dégèle Mélanie.

Lana sourit et secoue la tête.

— Je déteste Mélanie, dit-elle.

Thaïs se met à pleurer.

Valérien s'agenouille à côté de Mélanie et pose une main sur son épaule. Elle ne sent rien, mais il a dû mettre de la pression parce qu'elle culbute raidement. Ses yeux sont maintenant au niveau des tiges et du paillis d'un buisson.

« C'est ce que je verrai tout le reste de ma vie, se dit-elle. Comme dans un cercueil, on regarde éternellement les plis du recouvrement satiné. »

— Mélanie ? chuchote Valérien.

Mais elle ne répond pas.

— Lana, est-ce qu'elle est morte ? demande-t-il.

— Non, elle est gelée, répond Lana. Je déteste Mélanie. Elle a tout.

Valérien essaie de redresser Mélanie.

Mais ses poignets ne se plient pas et ses chevilles refusent de bouger.

— Lana! Dégèle Mélanie.

— Non! C'est le jeu du chat gelé, alors je l'ai gelée, dit Lana. M'as-tu vu le faire? demande-t-elle, un sourire étrangement anxieux aux lèvres.

Ils sont trop jeunes pour bien saisir les relations garçon-fille et pourtant ils comprennent qu'elle cherche à impressionner Valérien. C'est le garçon qu'elle veut et elle flirte avec lui de la seule façon qu'elle connaisse.

Et lui, bien qu'il n'ait que onze ans, il en sait assez pour essayer de l'amadouer.

— Oui, je t'ai vue faire. J'étais impressionné, Lana, dit-il prudemment.

Ça lui plaît.

— Ça m'impressionnerait vraiment beaucoup si tu la dégelais, dit-il encore plus prudemment.

— J'en ai pas envie, réplique Lana.

Valérien inspire profondément et dit:

— S'il te plaît, Lana?

Lui, le plus grand et le plus fort du quartier, le grand frère qui conduit la tondeuse et garde des enfants les samedis soirs, il doit supplier. Burnouf et Thaïs pleurent tous les deux.

— Bien… dit Lana.

— Promets-lui n'importe quoi, souffle Thaïs d'un ton urgent.

La seule qui sait qu'il ne doit rien promettre à Lana est celle qui ne peut pas parler.

Isolée, froide et raide, Mélanie pense : «Non! Non! Non! Ne promets rien, Valérien! Il vaut mieux être gelé qu'appartenir à Lana!»

— C'est moi que tu dois toujours aimer le mieux! ordonne Lana.

— C'est toi que j'aimerai toujours le mieux, promet Valérien.

Lana fait son sourire de glace.

Elle touche la joue de Mélanie et celle-ci s'écroule sur l'herbe, redevenue normale.

— N'oublie pas ta promesse, Valérien, dit Lana.

Ils chuchotent. Lorsque la porte grillagée s'ouvre si violemment qu'elle cogne contre le mur, les enfants sont si surpris qu'ils s'enfuient comme des oiseaux au son d'un coup de fusil.

— Je suis en colère, dit madame Trahan. Rentrez immédiatement. Valérien, pourquoi la tondeuse n'est-elle pas dans la remise? Tu crois que les jeux passent avant les responsabilités?

Lana disparaît.

Mélanie se lève lentement et enlève les

brins d'herbe de ses cheveux et de ses vêtements.

— Ne dis rien, chuchote Thaïs.

Ils ne disent rien.
Ils ne sauraient pas quoi dire.
Ils ne croient pas vraiment que c'est arrivé.
Ils n'en parlent plus jamais.
Pas une seule fois.
Les jeux dans la cour deviennent choses
du passé, au même titre que les reprises
télévisées qu'ils regardaient au retour de l'é-
cole en fin d'après-midi.
Lorsque, plus vieille, Mélanie essaie de
se rappeler ces jeux, sa mémoire lui envoie
des images en noir et blanc, brouillées par le
temps. «Est-ce qu'on jouait vraiment dehors
chaque soir après le souper?» se demande-
t-elle.
Elle se souvient de la fraîcheur des
soirées.
Elle se souvient des lucioles clignotant
dans le noir.
Elle se souvient des ricanements se
changeant en cris et les cris devenant silence.
Mais ils n'en parlent jamais.
Leur mémoire est-elle gelée? Ou leur
peur est-elle prête à flamber? Croient-ils que
c'est vraiment arrivé? Ou pensent-ils que
c'était un cauchemar enfantin inventé?

Mélanie ignore si Thaïs se rappelle cette brève mort.

Elle ne sait pas si Valérien se réveille la nuit, épouvanté et glacé au souvenir des doigts menaçants de Lana.

Elle ne sait pas si Burnouf renonce difficilement à sucer son pouce parce qu'il se souvient.

Elle sait seulement que les enfants du voisinage n'ont plus jamais joué au chat gelé.

Mais Lana...

Lana continue à y jouer.

CHAPITRE 1

Pour son dix-septième anniversaire, Valérien Trahan reçoit un vieux camion Chevy en cadeau. Le véhicule est très rouillé, ce qui ne déplaît pas à Valérien qui prend des cours de mécanique et a l'intention de le retaper lui-même. Le moteur ne tourne pas très rond, mais ça lui plaît aussi, car il a hâte de mettre en pratique ce qu'il a appris.

Au bout de quelques années, le Chemin des Fougères a fini par mériter son nom. Des fougères, des verges d'or et des sureaux forment d'épais buissons au fond des cours. Madame Trahan a refusé que Valérien gare son camion rouillé dans l'allée et il n'y a pas de place dans le garage. Il l'a donc laissé en bas de la colline parmi les mauvaises herbes et les ronces. De la fenêtre de sa chambre, le garçon peut admirer le capot bleu en rêvant aux fins de semaine où il l'amènera à l'atelier de l'école pour le bricoler pendant de longues heures de plaisir graisseux.

Parfois, Valérien reste assis sur une marche à l'arrière de la maison et regarde le fond de la cour.

— Tu ne peux même pas voir ton camion d'ici, lui fait remarquer Burnouf.

Mais ça ne dérange pas son frère. Il sait que son camion est là-bas.

En général, Valérien trouve les gens sympathiques. Il préfère la compagnie des autres garçons et, à part retaper le Chevy, son activité favorite est d'entraîner son équipe de football. Il n'est pas assez robuste pour jouer, mais il est fou de ce sport. Il a passé tous ses moments libres de l'automne sur le terrain de football ou dans le vestiaire des joueurs plutôt que dans son camion.

La saison de football finira bientôt.

Valérien songe à tout ce qu'il fera alors dans son camion. Il lit et relit les magazines de mécanique qu'il possède. Il se trouve le gars le plus heureux de la terre. Sa vie lui semble parfaite.

Puis quelque chose arrive : Valérien Trahan tombe amoureux.

Il devient si profondément et intensément amoureux que son camion et le football lui paraissent sans intérêt.

Ce qui le surprend le plus, c'est qu'il

tombe amoureux d'une fille qu'il a connue —
et à peine remarquée — toute sa vie.

Mélanie Morin.

Mélanie, bien sûr, pense à ce moment
depuis des années.

Les filles prévoient toujours d'avance, et
Mélanie est encore plus prévoyante que la
moyenne. Elle adore Valérien depuis qu'elle
a huit ans. « J'ai quinze ans, à présent, se dit-
elle. Ça veut dire que j'ai passé la moitié de
ma vie à adorer mon voisin. »

Mélanie est folle de ses larges épaules et
a passé l'année précédente à s'imaginer pelo-
tonnée contre sa poitrine.

Cette année, elle le fait.

Parfois, blottie contre Valérien, sa
longue chevelure étalée sur lui comme un
voile, Mélanie sent la joie monter dans sa
poitrine, envelopper son cœur et son esprit.
Et elle pleure d'amour pour Valérien
Trahan.

De plus, celui-ci est éperdu d'amour
pour elle. Il ne peut pas traverser un couloir
d'école sans faire un détour pour la saluer
d'un geste de la main. (Se rendant absolument ridicule, selon Burnouf.) Il ne peut pas
prendre un repas sans être assis à côté d'elle.

Il ne peut pas passer près d'un téléphone sans l'appeler. Il ne peut pas s'endormir sans s'être faufilé à travers les buissons qui ont poussé entre les maisons pour courir à la porte arrière des Morin et lui souhaiter bonne nuit.

C'est fantastique d'avoir un merveilleux garçon amoureux de soi. Ce qui est encore plus fabuleux, c'est que le monde entier en soit témoin, en soit jaloux et attendri.

Mélanie est la fille la plus heureuse sur terre.

Ses parents ne sont pas certains qu'ils apprécient cette situation.

Auparavant, les passions de Mélanie étaient confinées à la musique. Membre de la fanfare, de l'orchestre de chambre et de l'ensemble de jazz, elle jouait de la flûte et du piccolo. Désirant devenir professeur de musique, elle apprenait à jouer d'autres instruments : la trompette et la bruyante famille des percussions tout entière.

Tout le quartier a été forcé de suivre les progrès musicaux de Mélanie. Certains espèrent qu'elle s'inscrive dans un collège lointain. Monsieur et madame Morin sont très fiers de leur fille et sont persuadés qu'elle a assez de talent pour devenir première flûte dans l'orchestre symphonique de Montréal, pour endisquer et participer à des émissions de télévision.

Ça ne leur plaît guère que Valérien Trahan vole du temps destiné aux exercices de musique. Avec malaise (ils regardent par la fenêtre ou dans leur assiette plutôt que leur fille), ils lui parlent de sexe, de bébés, du sida et de la vie en général.

Mélanie hoche la tête de façon rassurante, leur dit ce qu'il veulent entendre et poursuit ses propres buts.

Deux maisons plus loin, les Trahan ont des problèmes plus importants à résoudre que la vie amoureuse de leur fils aîné. Thaïs et Burnouf, si faciles à vivre lorsqu'ils étaient petits, sont devenus des adolescents rebelles. Leurs parents ne comprennent pas quelle erreur d'éducation ils ont commise. Pour les autres parents du voisinage, qui se sont fait donner la famille Trahan en exemple pendant toutes ces années où leurs enfants étaient au primaire, la situation est gratifiante.

À dix-sept ans, Valérien, avec son permis de conduire, ses bonnes notes scolaires et sa vie active, est leur grande réussite.

Tout de même, sa mère n'est pas sûre d'apprécier l'intensité de sa relation avec Mélanie Morin. « Il n'a que dix-sept ans », dit-elle nerveusement, comme si elle craignait que les deux amoureux se marient en cachette.

Ce n'est pas le mariage qui inquiète le père de Valérien. Il préfère ne pas raconter ce qu'il faisait avec les filles lorsqu'il avait dix-sept ans. Il est content que le camion ne soit pas en assez bon état pour rouler plus loin que l'école et se retient d'éclater de rire en voyant son fils aussi éperdu d'amour.

Mélanie a tout : des parents qui vivent ensemble et qui l'aiment, des voisins qui sont des amis, un amoureux qui l'adore, une école où elle est populaire et bonne élève.

Elle n'analyse pas sa situation. Elle ne se demande pas pourquoi elle a tant de chance, ni ne s'inquiète de ceux qui n'en ont pas. Elle a quinze ans, un âge qui n'est pas particulièrement indulgent. C'est beaucoup mieux que treize ans, évidemment, et bien supérieur à quatorze ans, mais c'est à seize ans que naît la compassion et que le cœur peut être ému par le malheur des autres.

Mélanie a quinze ans ; Valérien représente tout son monde et ça lui suffit.

Personne ne sait ce que pense Lana Anctil.

Et personne ne s'en préoccupe.

Mélanie parcourt d'un pas dansant le couloir menant au casier de Valérien. À l'abri de la porte métallique, ils s'embrassent. Puis ils rient ; ils partagent un éclat de rire satisfait et sauvagement heureux. Puis ils se prennent les mains et admirent la beauté de l'autre.

— J'ai l'auto de ma mère, aujourd'hui, dit Valérien.

Ils planent à la pensée de partager la banquette avant.

Mélanie fait glisser de son épaule la bretelle de son sac. Valérien fait glisser celle du côté opposé. Se tenant par la taille, ils s'avancent lentement dans le couloir.

Chaque fille rêve d'un garçon si éperdument amoureux qu'il ne supporte pas d'être séparé d'elle. De la centaine de garçons fréquentant cette école, une dizaine d'entre eux peut-être ont déjà agi de cette façon. Les filles observent Valérien admirant Mélanie. Elles aspirent à être Mélanie, pour avoir Valérien, pour être adorée de la sorte. Elles voient que ses yeux et ses mains sont sans cesse sur elle, qu'il est profondément enfoui dans le nuage de son amour.

Il ne voit pas d'autre fille que Mélanie.

Mais elle voit toutes les filles et sait à quel point celles-ci l'envient et en retire une dose de plaisir supplémentaire.

Lana Anctil les rejoint et marche à côté de Valérien.

Mélanie ne peut en croire ses yeux. L'étiquette exige qu'on respecte certaines règles. Et l'une d'elles est qu'on ne se joint pas à un couple uni corps et âme. Pour la faire partir, Mélanie fixe Lana en fronçant les sourcils, mais celle-ci soutient son regard. Mélanie flanche. Elle avait oublié le pouvoir de ces yeux-là.

Valérien est toujours poli — se servant même parfois de sa politesse comme d'un bouclier.

— Bonjour, Lana, comment ça va ? demande-t-il joyeusement.

Lana ne répond rien. Elle est toujours aussi mince et a l'air à peine plus vieille qu'à l'époque des jeux dans la cour. C'est inquiétant qu'elle n'ait pas vieilli. On dirait qu'elle évite les épuisants phénomènes humains des étapes de croissance. Le regard de ses yeux délavés passe à travers Mélanie et débouche de l'autre côté.

Celle-ci, ravissante en pantalon à carreaux et chandail noir, se sent dévêtue. Comme si Lana ne voyait pas les vêtements, seulement les faiblesses intimes.

Lana détourne le regard de Mélanie pour le porter sur Valérien. La sévérité la quitte. L'hostilité la quitte. Avec une douceur inhabituelle, elle lui dit :

— C'est le moment.

Mélanie frémit.

— Le moment de quoi ? demande Valérien en souriant poliment.

— Tu te souviens, dit Lana.

Il réfléchit. Une de ses plus belles qualités est qu'il est sérieux lorsqu'il le faut. Les garçons de dix-sept ans ne sont malheureusement pas tous comme ça.

— Je me souviens de quoi ? demande-t-il finalement.

— De ta promesse, dit Lana.

Un éclair glacé traverse la mémoire de Mélanie.

— Je dois emmener tout le monde au cinéma ? demande Valérien. Excuse-moi, Lana, mais je n'ai pas toute ma tête aujourd'hui.

Il serre Mélanie contre lui pour montrer ce qui le distrait. Lana se raidit comme une corde d'arc tendue.

— Tu dois te rappeler ! chuchote-t-elle si passionnément qu'elle pourrait enflammer une allumette de son souffle.

— Heu… je ne sais pas de quoi tu parles, dit-il en fronçant les sourcils.

— Donne-nous un indice, dit Mélanie.

De sa position privilégiée — elle a un amoureux et est en couple — elle peut regarder de haut Lana, qui est seule et non aimée. C'est plus réconfortant d'être arrogante que d'être apeurée. Mélanie regarde donc Lana de haut et celle-ci s'en aperçoit.

Du lointain passé, elle entend Lana déclarer : « Tu vas le regretter, Mélanie Morin ! » Quelque chose en elle tremble, comme un lapin sentant les mâchoires du renard se refermer sur lui.

— Tu veux un indice, Mélanie Morin ? dit Lana. Très bien. Demain, je te rafraîchirai la mémoire.

Les genoux de Mélanie faiblissent. Elle se souvient de ça aussi : le moment où son corps l'a trahie.

Lana s'écarte d'eux et disparaît dans la foule avec la même aisance qu'elle le fait sur le Chemin des Fougères.

Mélanie se force à rire et prend la main de Valérien dans la sienne. « J'ai toujours détesté que Lana participe à nos jeux, pense-t-elle. Je ne veux pas qu'elle se joigne à nous. Elle n'a pas le droit. »

— Elle avait la voix du destin, tu ne trouves pas ? demande Valérien.

La voix de Mélanie descend d'un octave pour dire :

— Demain, je te rafraîchirai la mémoire.

Ils parviennent à en rire.

CHAPITRE 2

C'est une bonne matinée. Excellente même.

En géométrie, Mélanie apprend la nouvelle formule sans effort et son cerveau frémit de plaisir. Il n'y a rien comme de comprendre les mathématiques pour se sentir géniale.

En histoire, l'enseignant leur lit un article intéressant d'un vieux journal. Puis il demande :

— Pourquoi est-ce si important de connaître l'histoire ? Parce que si vous oubliez les erreurs du passé, vous êtes condamné à les répéter.

« Condamné », un mot pour la mort et la peine éternelle.

En espagnol, Mélanie lit un texte à haute voix et, pour la première fois, elle réussit à le faire sans hésiter.

Elle a hâte à l'heure du dîner pour raconter tout ça à Valérien.

Parfois, l'école la terrifie. Mais ce n'est pas l'un de ces jours.

Elle brûle d'excitation. Elle se rend d'un pas dansant à leur lieu habituel de rendez-vous.

Il y est déjà, souriant.

Oh! comme elle l'aime! Il est si fort et si beau, fascinant et merveilleux, et plus que tout, il lui appartient!

Pendant des années, elle n'a pas osé regarder les garçons qui lui plaisaient. Plus elle en aimait un, moins elle était capable de l'observer.

Mais elle peut contempler Valérien, comme une fleur tournée vers le soleil.

— Devine quoi, demande-t-il en premier.

— Quoi?

Ils ont toujours plein de choses à se raconter, des petits succès qu'ils partagent ensemble à l'heure du dîner, après l'école ou au téléphone.

— On a eu un examen de physique. Devine combien j'ai eu? demande-t-il, tout sourire.

Il veut devenir ingénieur pour modeler des voitures.

— Cent pour cent, dit-elle.

— Oui! crie-t-il en l'étreignant, plein de fierté.

Sur la taille de Mélanie, la main de Valérien s'ouvre et se ferme, palpe et explore. Elle aime être ainsi possédée; c'est la preuve de son attachement. Ça signifie: «Elle est à moi.»

— Dîner chaud ou sandwich? lui demande-t-il.

Sur les plateaux de ceux qui passent, les mets chauds sont méconnaissables.

— Sandwich, dit Mélanie.

— Sandwich, approuve Valérien.

Ils rient et ont envie de s'embrasser devant tout le monde. Ils ne le font pas, mais c'est facilement perceptible dans leur regard et dans leur démarche.

— Devine quoi, dit Mélanie.

— Tu as eu cent pour cent en espagnol.

— On n'avait pas d'examen, mais écoute mon accent. Tu vas en perdre tes bas d'admiration.

— Je suis prêt, dit-il en relevant le bas de son pantalon pour qu'ils le voient perdre ses bas.

Mélanie rit.

Quelqu'un hurle.

La cafétéria est toujours bruyante. Il n'est pas extraordinaire d'y entendre crier.

Mais c'était un cri de terreur.

Cinq cents élèves deviennent tout à coup silencieux, cherchant la source du terrible hurlement.

Mélanie a une mémoire tranchante qui ramène, comme au bout d'un couteau sanglant, un souvenir mêlant l'obscurité, Thaïs, l'herbe et l'enfance.

« La dernière fois que j'ai entendu un cri pareil... » se dit-elle.

Sa main posée sur Valérien sent la poitrine du garçon s'emplir d'air et rester gonflée, comme si de retenir son souffle le retenait en vie. Comme s'il était en danger de suffoquer, de ne plus vivre.

Il y a une fille effondrée sur le sol, semblable à une statue renversée par un vandale. D'une de ses jambes restée levée, pend sa longue jupe : on dirait une draperie.

Des enseignants et des employés de la cafétéria se précipitent pour lui venir en aide.

— On dirait qu'elle est gelée, dit l'un d'eux.

Un souffle environne Mélanie Morin et Valérien Trahan.

Un souffle d'air ancien, surgi de leur enfance.

Souvenir.

Le calme de cette nuit-là leur revient en mémoire et la force de l'horreur.

Mélanie se rappelle le bruit de la tondeuse et l'odeur d'herbe coupée, le soleil couchant et la venue de la nuit.

Elle se rappelle la voix neutre qui expliquait : « C'est le jeu du chat gelé. Alors, je l'ai gelée. »

— Qui est-ce ? demande une enseignante.

— C'est Jessica, répond une voix.

Au moins cinquante élèves portent ce nom. Mélanie ignore s'il s'agit d'une Jessica qu'elle connaît.

Elle s'avance lentement. La fille effondrée a le teint bleuté. Ses cheveux sont dressés autour de sa tête comme s'ils étaient sculptés dans la glace. Sa poitrine ne bouge pas au rythme d'une respiration.

— Elle est gelée, murmure un adulte d'une voix horrifiée.

« Je n'ai pas couru assez vite, se dit Mélanie. Lana me détestait. »

Elle se souvient des doigts de celle-ci, pénétrant son âme. Elle se souvient d'avoir été gelée. Elle ne souffrait pas et n'avait pas peur. « Ma vie était suspendue, comme celle des ours en hibernation, se dit-elle. Ils abaissent la température de leur corps. »

Mais un être humain ne pourrait pas vivre ainsi jusqu'au printemps.

— Ça doit être une crise cardiaque, dit un enseignant.

Il essaie d'asseoir la fille gelée, mais le corps ne plie pas. On dirait qu'elle est morte la veille et que son corps a pris la rigidité cadavérique.

Valérien avait dû supplier: «S'il te plaît!»

Lana avait dit alors: «C'est moi que tu dois toujours aimer le mieux!»

Et il avait promis: «C'est toi que j'aimerai toujours le mieux.»

Ensuite, il n'a plus jamais pensé à Lana. Il ne s'est plus jamais souvenu qu'elle voulait être sa préférée. «Ce qu'il préfère, ce sont les voitures et le football, et puis moi», se dit Mélanie.

Valérien dépose son plateau. Son visage est d'une pâleur extrême, sa lèvre supérieure, mouillée de sueur.

— Je me souviens, dit-il d'une voix sans timbre.

Mélanie n'ose pas regarder alentour. Et si son regard croisait celui de Lana? Peut-être que celle-ci peut geler quelqu'un à distance.

— Elle est près de la fenêtre, murmure Valérien.

Mélanie se force à se tourner dans cette direction.

La petite silhouette frêle est parfaitement immobile. De la même manière que Mélanie absorbe la chaleur et la luminosité du sourire de Valérien, Lana se repaît de la noirceur givrée dans laquelle Jessica vient de sombrer. Un sourire tendre aux lèvres, la tête penchée, Lana est une artiste admirant son chef-d'œuvre.

Marmonnant des mots inintelligibles, Valérien enfouit ses mains profondément dans ses poches.

Il se sépare de Mélanie et du désastre et même de l'avenir.

Mélanie voit soudain en lui celui qui ne veut pas faire face, celui qui va attendre que ça passe.

Elle est extrêmement déçue. La force d'âme de son amoureux n'est pas de même calibre que sa puissante carrure et son esprit incisif.

C'est une pensée trop négative. Elle la rejette vivement.

Lana se glisse entre eux. «Ne me touche pas!» hurle le cerveau de Mélanie.

Elle s'écarte de Lana, mais celle-ci ne lui prête pas attention, se contentant de sourire dans le vague. Lana ne s'embarrasse pas non plus de commentaires banals et de formules de politesse. Elle ne l'a jamais fait.

— Valérien! Sortons, dit-elle avec fermeté.

Il enfonce ses mains plus profondément dans ses poches.

— C'est votre faute, dit Lana. Vous auriez dû en parler ensemble hier soir. Je vous avais avertis que ça allait arriver.

Mélanie a peur et cela la rend stupide, et sa stupidité la rend agressive.

— On avait mieux à faire que de parler de toi, dit-elle.

Pendant le court laps de temps précédant la réaction de Lana, Mélanie s'aperçoit que celle-ci ressent tout de même des émotions. Ça la blesse d'apprendre que les amoureux n'ont pas parlé d'elle la veille. Les yeux qu'elle lève vers Valérien sont chargés de peine.

Elle ne connaît rien de l'amour et elle en souffre. Tout le monde meurt d'envie de connaître l'amour. Lana ne comprend pas qu'elle ne peut pas s'en aller avec Valérien, comme si elle venait de l'acheter.

Au loin, on entend une sirène d'ambulance, aussi exaspérante que le crissement de la craie sur un tableau.

— Lana, dégèle-la, dit Mélanie. Jessica ne t'a rien fait.

Le gyrophare de l'ambulance lance des éclairs rouges à travers les fenêtres de la cafétéria. Lorsqu'une civière est glissée sous Jessica, son corps reste rigide.

— Va-t'en, Mélanie. Valérien est à moi, maintenant, dit Lana.

«Elle est amoureuse de Valérien, se dit Mélanie. Elle l'a toujours été. Comment ai-je pu l'oublier? On a étalé notre amour à la face du monde. On a oublié que Lana fait partie de notre monde.»

— Tu ne peux pas faire ça à Jessica, répète-t-elle. Dégèle-la.

— Ce n'est pas une vraie démonstration si je la dégèle, dit Lana. Tu te détendrais. Tu ne dois jamais te détendre quand je suis dans les parages, Mélanie. Maintenant, va-t'en. Valérien est à moi.

— Lana, qu'est-ce que Jessica a fait pour mériter ça? souffle Valérien.

— Elle n'a rien fait.

— Tu ne peux pas geler les gens pour rien! dit-il.

— Bien sûr que je le peux, réplique Lana de l'air ennuyé de quelqu'un qui doit énoncer une évidence. Mais si ce n'est pas assez pour toi, je peux en geler une autre.

— Non!

— En fait, je pourrais geler beaucoup de gens. L'école serait fermée. Tout le monde penserait à une épidémie, à une maladie inconnue.

— Je te dénoncerais, dit Valérien.

Lana passe son bras frêle autour de la taille du garçon et lui demande avec un sourire:

— Qui te croirait?

— Dégèle-la! souffle Mélanie.

— Non. Viens, Valérien. On va manger ensemble.

Valérien fait un pas avec elle. Il reprend le plateau portant son sandwich et celui de Mélanie.

— Si tu veux, nous pouvons discuter de tout ça, propose vivement Mélanie.

— Il n'y a rien à discuter. Valérien a promis de toujours m'aimer. Et toujours commence maintenant.

« Toujours commence maintenant. »

Les mots font chanceler Mélanie. Lana possédera Valérien pour toute l'éternité, tandis qu'elle restera seule.

— En fait, je pense que j'ai promis de te préférer, intervient Valérien.

— Ça aussi! acquiesce joyeusement Lana.

— Dégèle Jessica! crie Mélanie.

Des regards se tournent vers eux.

Lana secoue doucement la tête, pour montrer qu'elle se dissocie du comportement insensé de Mélanie.

— Tu es un virus, Lana, dit celle-ci.

Lana en a assez.

— Et toi, tu es gelée, Mélanie, dit-elle en se jetant en avant.

CHAPITRE 3

Valérien tire brusquement Lana par derrière. Le doigt de celle-ci rate Mélanie d'un cheveu. Il reste levé, pointant malignement, comme s'il avait le pouvoir de geler à distance. Mais il ne le peut pas. Mélanie respire et bouge encore.

Avec difficulté, car la terreur la raidit. Elle réussit pourtant à reculer d'un pas. Ce n'est pas suffisant. Une rivière coulerait entre elles que ce ne serait pas suffisant.

« Elle allait me geler ! se dit Mélanie. Elle en avait assez de moi et voilà sa réaction. »

Après un long moment, son regard se détourne du doigt pointé — est-ce qu'il tremble parce qu'il y passe un courant glacé ou parce qu'il essaie encore de toucher ? — et se pose sur Valérien.

Il est si costaud ; Lana paraît si fragile à côté de lui. Et pourtant il a dû y mettre toute sa force pour la retenir. Il a l'air à la fois ébranlé et sûr de lui. Qu'a-t-il décidé? Mélanie ne le sait pas. Elle-même serait incapable de prendre une décision. Peut-être en sera-t-elle incapable à jamais.

Quelle arme est-ce, ce pouvoir que possède Lana?

Comment pourraient-ils jamais agir normalement de nouveau quand ce doigt peut...

— C'est toi que j'aime le mieux, Lana, dit Valérien.

Sa voix est calme, et même amicale. Les mots sonnent vrais. Quiconque les entendrait pourrait penser que Lana est vraiment la préférée de Valérien Trahan.

Mélanie n'est plus raide de peur, mais amollie par le chagrin. Valérien joue-t-il la comédie? Si oui, il est un formidable acteur. Il est peut-être impressionné. Mélanie se rappelle ce qu'il avait dit ce soir-là: «Je suis impressionné, Lana!»

«Le pouvoir impressionne, pense-t-elle. Mais c'est moi qu'il doit aimer le mieux!»

— Allons nous asseoir près des fenêtres, Lana, dit Valérien d'une voix ferme. Et en chemin, frôle Jessica, ordonne-t-il. Ça suffira. Elle dégèlera. L'ambulance ne l'emmènera pas à l'hôpital, d'accord?

Lana fait la moue.

C'est étrange, quelques instants plus tôt,

elle avait l'âge du Mal, aussi ancienne que cruelle. Maintenant, elle a l'air d'une fillette boudeuse obligée de faire quelque chose dont elle n'a pas envie.

— Je suis sérieux, dit Valérien. Je ne peux pas me tenir avec toi si tu gèles les gens.

Mélanie réprime une irrésistible envie d'éclater de rire.

— Bon, d'accord, dit Lana d'un ton irrité.

Elle se pelotonne contre Valérien et se tient tellement serrée contre lui lorsqu'ils s'en vont qu'on dirait qu'elle est montée sur les chaussures du garçon pour avancer, comme le faisait Burnouf à trois ans.

Heureusement que les autres élèves sont préoccupés par l'état de Jessica. Personne ne remarque l'étrange couple formé par Valérien et Lana.

« En fait, un couple formé par Lana et n'importe qui serait étonnant, se dit Mélanie. Elle a toujours été seule. Tout le monde a peur d'elle. »

Pourquoi tout le monde la craint-il ? Quelles expériences Lana Anctil a-t-elle fait vivre aux autres élèves ? Que s'est-il passé en dehors du Chemin des Fougères ?

Valérien passe près de la civière, forçant Lana à frôler Jessica.

Aussitôt, celle-ci essaie de s'asseoir, reprenant miraculeusement connaissance.

— Oh! Dieu merci! dit une enseignante.

Lana sourit, acceptant ce titre pour elle-même.

Lana et Valérien dînent ensemble. Ils se parlent et se passent même des serviettes de papier.

Mélanie ne sait que faire. Va-t-elle s'asseoir seule? Trouver une amie? Se cacher dans les toilettes? Ou se rendre tout de suite en classe?

«C'était mon jour parfait, pense-t-elle. Ma compréhension en maths, ma facilité en espagnol, mon cher, mon adorable Valérien!»

Elle a mal. Comment Valérien peut-il prendre si bien les choses? Comment peut-il rester tranquillement assis alors que cette terrible main est si proche — et le touche même?

Joue-t-il la comédie?

«Peut-être que Lana m'a gelée en partie, se dit-elle. Je ne suis plus entièrement présente. Une partie de mon cerveau est figée dans la glace. Une partie de mon cœur est envahie par la neige.»

L'heure de dîner se termine enfin.

Mélanie se retrouve au gymnase pour s'entraîner au tennis. Jamais elle n'a frappé la balle avec autant de force.

— Mélanie, quelle agressivité! Bravo!

dit l'instructeur. J'adore quand tu joues ainsi!
Ça, c'est gagnant!

«Je vais frapper Lana comme ça! pense-t-elle. Je ne vais pas lui céder Valérien. Et il ne renoncera pas à moi non plus. Elle n'a pas le droit de geler les gens et de me terrifier. Je ne l'accepterai pas!»

Elle frappe durement la balle. Ce qui était gelé en elle se met à fondre. Elle devient ardente, furieuse.

Elle devient brûlante de haine.

Elle pensait que la haine était froide. Faux. La haine bout dans son esprit et dans son cœur. Une vapeur de haine lui monte à la gorge. Des bulles de haine circulent dans ses veines.

La haine l'habite.

Elle sent la haine prendre possession de son corps de la même façon que le toucher maléfique de Lana Anctil a pris possession de celui de Jessica.

Elle dépose sa raquette. Elle quitte le court, s'éloigne de l'instructeur vociférant, de son adversaire vaincue.

«Non.

«Je refuse!

«Je ne laisserai pas la haine me posséder. Je n'aime pas les gens haineux. J'aime ceux qui sont gentils. Je suis une gentille fille. Je ne serai pas haineuse.»

Elle va se réfugier dans le vestiaire des filles.

Elle laisse la haine suinter hors d'elle. Ça ne la quitte pas facilement ni rapidement. La haine est insistante. Elle veut garder le contrôle.

Lorsque les dernières gouttes de haine l'ont quittée, Mélanie pense : « Je ne me servirai pas de la haine pour lutter contre Lana. Mais je dois trouver une autre arme. Qu'est-ce que ce sera ? »

— ... parce que connaître les faiblesses de votre adversaire vous donne une prise, dit l'instructeur dans le gymnase. Vous devez étudier la technique de votre adversaire. C'est ainsi que vous découvrez ses faiblesses et ses défauts, alors vous pouvez l'affronter.

« Lana a-t-elle des faiblesses ? Des défauts ? » se demande Mélanie.

Elle doit apprendre à la connaître.

C'est le seul moyen de lutter contre elle.

Mélanie a une période d'études à la fin de la journée. D'habitude, elle en fait bon usage. Aujourd'hui, elle en profite pour récapituler tout ce qu'elle sait sur Lana Anctil.

Celle-ci ne semble jamais devenir plus âgée, plus grande ou plus féminine. Elle garde l'allure d'une fillette. Ses cheveux sont fins et secs, comme les herbes qui pendent au plafond des cuisines campagnardes. Elle a un air poussiéreux, comme si elle existait depuis très longtemps et avait été remisée quelque part. Inutilisée.

« Ou non aimée, se dit Mélanie. Personne que je connais n'a jamais reçu moins d'amour. »

C'est ce que dit sa mère lorsqu'elle insiste pour que Mélanie soit aimable avec Lana. Mais on ne peut pas vraiment être triste pour celle-ci. On a plutôt tendance à l'être pour ses parents. Quelque chose en elle exclut la sympathie.

À part la croissance des enfants et des plantes, il y a eu peu de changements dans le Chemin des Fougères pendant que Mélanie était au primaire. La plupart des familles qui y avaient acheté leur première maison y vivent encore.

Monsieur Anctil est le seul qui a eu une deuxième maison. Lana avait dix ans alors.

Avoir une deuxième maison, découvrirent-ils, n'est pas nécessairement une bonne nouvelle. Car monsieur Anctil n'emmena ni sa femme ni sa fille avec lui dans cette autre maison. Il s'y installa avec sa petite amie, Nicole.

Il promit d'y inviter Lana une fin de semaine par mois. Ça ne semblait pas représenter beaucoup de temps à passer avec son père, mais c'était beaucoup de temps à passer avec Lana. Mélanie avait tremblé pour Nicole, qui ne savait certainement pas ce que cette fin de semaine et cette belle-fille allaient être.

Et lorsque madame Anctil se remaria, Mélanie trembla pour Jason. Celui-ci emménagea dans la maison du Chemin des Fougères et commença à vivre quotidiennement avec Lana.

Un vendredi, lorsque monsieur Anctil et sa petite amie vinrent chercher Lana pour la fin de semaine, Nicole entama la conversation avec madame Anctil qui ramassait des feuilles mortes.

— J'ai lu des livres sur les familles reconstituées, dit-elle. Les experts disent qu'un beau-parent ne doit pas espérer s'entendre avec l'enfant pendant les deux premières années, encore moins ressentir de l'affection envers lui. Alors, je n'espère rien et je n'aime certainement pas Lana, mais je souhaiterais qu'elle se brosse les dents plus souvent.

Pendant cette conversation, Lana se tenait tout près de Nicole. Elle avait ramassé quelques jolies feuilles d'érable, mais elle ne les apporta pas à l'intérieur. Elle les écrasa dans sa main.

Et puis il y eut le jour où Jason, cirant sa voiture (une Corvette; l'ex-madame Anctil n'étant pas intéressée par les hommes conduisant des voitures ennuyeuses), confia au père de Lana :

— Je ne sais pas comment être un parent.

Il semblait considérer que cet aveu lui épargnerait tout effort pour essayer d'en devenir un.

Cette année-là, à la rentrée des classes, Lana sauta un niveau, rattrapant Mélanie. Plusieurs personnes en furent surprises, Lana n'ayant jamais paru particulièrement douée. Mélanie, elle, comprit parfaitement la situation. Celui qui devait enseigner à Lana avait peur d'elle. Quel meilleur moyen de mieux respirer que d'écarter de soi la source de sa frayeur ?

Mélanie se rappelle maintenant du chien. Elle n'y a pas pensé depuis des années !

Jason avait acheté un setter irlandais d'un roux sombre, gracieux, élégant. Un chien magnifique !

Il bondissait dans l'étroit espace gazonné près de la Corvette et de la Jaguar, puis se précipitait vers Jason pour lui lécher les mains. Et l'homme, incroyablement beau en vêtements de sport, s'agenouillait pour caresser l'animal.

Et riant joyeusement, il serrait le chien dans ses bras.

— Il ne m'a jamais serrée dans ses bras, dit Lana à Mélanie.

Sa mère sortit et, admirant la bête magnifique, elle aussi, déclara :

— Il faudrait lui trouver un nom. Un nom parfait.

— Pour un chien parfait, dit Jason.

Ils s'enlacèrent et restèrent serrés l'un contre l'autre, comme si leur couple et le chien formaient leur seule famille.

Comme si Lana n'existait pas.

Le setter, bondissant sur l'herbe, passa près des deux petites filles. Mélanie, qui n'aimait pas tellement les chiens, recula.

Mais Lana avait tendu la main.

Dans la salle d'études, soudain, Mélanie est prise de vertige. « Je le savais ! pense-t-elle. Déjà, je savais ce qui allait se passer. »

Le chien avait basculé et restait étendu sur l'herbe, les pattes raides comme celles d'une chaise.

— Oh non ! avait crié Jason. Qu'est-ce qui lui arrive ? Mon beau chien !

— Vite ! Amenons-le chez le vétérinaire ! avait dit madame Anctil.

Ils pleuraient.

Ils se précipitèrent pour trouver de l'aide.

Ils montrèrent plus d'inquiétude et d'affection envers le chien paralysé qu'ils n'en avaient jamais manifesté à Lana.

Les yeux pâles de la fillette étaient fiévreux de plaisir.

Mélanie se souvient qu'elle s'était enfuie. Lana ne s'aperçut pas de son départ. Pendant des heures, elle contempla la forme imprimée dans l'herbe là où le chien s'était effondré.

Au printemps suivant, il y eut un autre départ dans la vie de Lana.

Ceux qui conduisent leur Jaguar aussi vite que madame Anctil, perdent soit leur permis soit la vie. La mère de Lana perdit les deux, l'un après l'autre.

Tous les habitants du Chemin des Fougères se sentirent obligés d'assister aux funérailles.

Seule Mélanie refusa d'y aller.

Aujourd'hui, elle se demande pourquoi.

La réponse ne vient pas et pourtant elle sent que c'est un savoir qu'elle a enfoui dans sa mémoire.

En tout cas, à douze ans, Lana se retrouva sans mère. Elle alla donc vivre avec son père et Nicole. Personne ne la regretta dans le quartier. Après son départ, Mélanie respira mieux et rit plus franchement.

Un mois plus tard, Nicole vint garer sa voiture dans l'allée de la maison des Anctil. Lana était assise à côté d'elle.

Il faisait doux et tout le monde était dehors. Et donc, tous entendirent et virent ce qui se passa.

— Son père nous a abandonnées, déclara Nicole à Jason.

Celui-ci dit qu'il était désolé d'entendre cela, mais qu'il ne voyait pas en quoi ça le concernait.

— Je te ramène Lana, dit Nicole.

Et avant que Jason n'ait pu protester, elle était repartie.

— Bien bien bien! marmonna Jason.

Lana resta avec lui. Il continua à mener sa propre vie. Lana avait toujours des vêtements propres et un shampoing récent. Mais c'est tout ce qu'elle avait.

Les jeunes du Chemin des Fougères entrèrent au secondaire.

Ils n'organisaient plus de fêtes d'anniversaire auxquelles Lana devait obligatoirement être invitée. Ils ne prenaient plus de leçons de ballet auxquelles il fallait emmener Lana. Ils ne se rassemblaient plus chez les Trahan pour des goûters auxquels Lana prenait part.

L'école secondaire était pleine d'étrangers. Parfois, ils y passaient des semaines sans la rencontrer.

Même en l'apercevant, ils ne pensaient pas à elle. Ils étaient complètement absorbés par leur propre vie. Les gens qui n'en faisaient pas partie, du premier ministre jusqu'à leur mère, leur semblaient ennuyeux et arriérés.

L'un d'eux avait-il accordé de l'attention à Lana?

La sonnerie de fin des classes retentit.

Mélanie se lève, étourdie d'avoir fouillé le passé.

« Tout ce que je sais de Lana, se dit-elle, c'est que personne ne l'aime. Personne ne l'a jamais aimée. »

CHAPITRE 4

Et pourtant, après tout ce qui vient de se passer à la cafétéria, lorsque Mélanie s'avance dans le couloir habituel à l'heure habituelle, Valérien est à sa place habituelle. Et comme d'habitude, elle en a un sursaut de joie. Ses jambes s'allègent, un sourire détend ses lèvres.

— Valérien! crie-t-elle.

Le visage de son amoureux est tout sourire.

— Mélanie! s'écrie-t-il.

Ils s'enlacent, puis ils se dirigent bras dessus bras dessous vers la voiture.

Lana est sortie de leurs pensées et de leurs vies. Oubliées les minutes de haine sur le court de tennis! Oubliées les connaissances au sujet de la vie sans amour de Lana. Seuls les ados peuvent oublier aussi complètement, aussi souvent.

Mélanie ne connaît plus rien d'autre en

ce moment que la joie et la chaleur émanant du garçon qu'elle adore. Son monde est très petit et très plein.

— Cet après-midi, je vais travailler dans mon camion, dit joyeusement Valérien. Il fait froid, mais le soleil va briller pendant encore une heure et demie environ. J'essaie de réparer les poignées des portières.

— C'est une bonne idée, dit Mélanie, à qui ça semble être l'activité la plus ennuyante dont elle ait jamais entendu parler.

En souriant, Valérien lui fait part de ses projets de réparation de poignées qui sont toutes deux brisées de l'intérieur.

— Il faut tout le temps qu'une vitre reste ouverte pour qu'on soit capable de sortir, explique-t-il. Et je ne peux pas laisser la pluie et la neige entrer dans la cabine de mon camion !

Sachant qu'il pleut et qu'il neige à l'intérieur de ce vieux camion depuis des années, Mélanie ne voit pas l'urgence du projet. Mais elle aime tellement ce garçon qu'elle propose :

— Je pourrais t'aider.

Elle sait qu'il n'apprécie pas tellement qu'on l'aide à réparer son camion. En fait, il préfère être seul avec sa boîte à outils. Mais elle l'aime encore plus que de coutume, aujourd'hui, alors elle a envie de s'asseoir sur la vieille banquette pour le regarder suer.

— D'accord, dit-il à contrecœur.

Ils se faufilent entre les voitures quittant à toute vitesse le terrain de stationnement et arrivent à la voiture de madame Trahan. Valérien mesure son bonheur au nombre de jours qu'il peut emprunter cette auto pour se rendre à l'école.

— Dans combien de temps est-ce qu'on pourra voyager en camion? demande Mélanie, voulant dire : « Quand est-ce qu'on pourra voyager tous les jours ensemble ? »

— Dans longtemps, répond-il, à moitié découragé parce qu'il reste tant à faire, et à moitié enchanté parce qu'il reste tant à faire.

Valérien se rend du côté du conducteur et Mélanie ouvre sa portière.

Lana est assise à sa place sur le siège avant.

Valérien se fige dans le mouvement qu'il a commencé à faire pour s'installer au volant. Une jambe en dedans, une jambe en dehors.

Mélanie se sent glacée. Son esprit, son cœur et son corps récapitulent toutes les émotions de la journée.

« Je sais qu'elle a manqué d'amour, se dit Mélanie, s'efforçant d'être compréhensive. Mais je ne veux pas qu'elle commence sa quête d'amour par Valérien. »

Et elle déteste voir Lana si satisfaite d'elle-même.

Apparemment, Valérien a décidé que les bonnes manières sont de mises aujourd'hui. Il veut s'entendre avec tout le monde. Ce qui est un défaut, selon Mélanie. On ne peut pas toujours être ami avec tout le monde. Mais tous les Trahan sont polis sans arrêt. Ils se protègent, ils restent prudemment à l'abri de leur courtoisie.

— Salut, Lana, dit Valérien.

Comme si c'était habituel de la trouver dans la voiture, comme si ça ne signifiait rien à l'instant même et que ça n'aurait aucune conséquence plus tard.

— Je peux te reconduire chez toi? demande-t-il. On te déposera en passant.

Mais il y a un sens à la présence de Lana à la place de Mélanie. Celle-ci ne peut tout de même pas s'asseoir à côté d'elle, pas après s'être souvenue du chien.

Valérien ne regarde pas Mélanie. Ils ne peuvent échanger de pensées par le regard. Après un moment de réflexion, elle s'assoit sur la banquette arrière.

Lana sourit victorieusement et pose sa main sur la cuisse de Valérien.

Mélanie est outragée. «C'est ma place! pense-t-elle. Ne le touche pas! Il est à moi!»

Mais elle se tait.

Ils se taisent tous les trois. C'est la première fois que Mélanie fait ce trajet en silence. Elle a toujours tant d'histoires à raconter, et de blagues et de doléances.

Ils atteignent le Chemin des Fougères et alors Lana parle, prenant le contrôle.

— Valérien, dépose Mélanie, ordonne-t-elle froidement.

Elle semble faire chuter la température dans la voiture par ces simples mots.

— Allez, Lana, ça suffit, proteste-t-il. J'ai dîné avec toi.

Il pense vraiment que Lana se contentera de ça?

— Mélanie et moi, on a des projets.

Il pense vraiment qu'elle y accordera de l'importance? Qu'elle permettra que leurs projets soient menés à terme?

Sur la banquette arrière, Mélanie lève les mains pour s'assurer qu'elle peut encore bouger.

Et tout à coup, une pensée lui traverse l'esprit.

Elle en a la vue aussi brouillée que le soir où elle a été gelée.

Lana se retourne pour la fusiller du regard, choquée qu'elle n'obéisse pas plus vite. — Descends, Mélanie! ordonne-t-elle.

Mélanie tremble si fort qu'elle ne sait pas comment elle parviendra à soulever son sac ou à trouver la poignée de la portière.

— Lana, as-tu gelé ta propre mère ? ose-t-elle demander. C'est pour ça que sa Jaguar a capoté ? Parce qu'elle était gelée ?

« Voilà pourquoi je ne suis pas allée aux funérailles, se rappelle Mélanie. Je m'en souviens maintenant. J'étais sûre que Lana avait puni sa mère de lui avoir préféré le chien. »

Les yeux transparents vont de Mélanie à Valérien.

Les grandes mains du garçon sont crispées sur le volant.

— Regarde-moi, Valérien, commande Lana.

— Non, ne la regarde pas, dit Mélanie.

Mais elle-même ne peut pas détourner le regard ni bouger. Elle n'ose pas se pencher en avant et poser sa main sur l'épaule de son amoureux. Elle n'ose pas toucher la poignée, de crainte que Lana l'ait infectée.

— C'est pour ça que sa Jaguar a capoté ? demande Valérien.

Sa voix est neutre. Mais il se trahit en s'étouffant sur le dernier mot.

— Peut-être, répond Lana.

Puis elle pousse un éclat de rire perçant.

Un peu plus loin sur le Chemin des Fougères, l'autobus scolaire s'arrête.

Des petits enfants en descendent.

Puis Thaïs qui, généreuse et romantique

de nature, prend l'autobus pour laisser son frère et Mélanie rentrer ensemble.

— Tiens, voilà Thaïs, dit doucement Lana. Chère Thaïs, je ne l'ai jamais aimée non plus. Quel dommage ce serait si...

Elle sourit, puis répète :

— Descends, Mélanie.

Thaïs les a aperçus. Elle s'approche de la voiture en criant :

— Hé ! Méli-Mélo !

C'est un vieux surnom.

Le seul son audible dans la voiture, c'est celui que fait Valérien en essayant en vain d'avaler sa salive.

Pendant un instant, Mélanie est furieuse contre lui. Pourquoi ne fait-il rien ? À quoi ça sert d'être bâti comme il l'est ? Ça devrait servir à prendre la situation en main et à jeter Lana Anctil dans la rue !

Mais les muscles ne sont d'aucun secours contre le pouvoir de Lana.

Elle échange un regard avec lui. Cette fois, le message est très clair : ils sont pris au piège.

— Il vaudrait mieux que tu descendes, lui dit-il, ses yeux anxieux rivés sur sa petite sœur.

Mélanie sort lentement, gardant la portière ouverte, comme s'il ne pouvait rien arriver de désastreux tant qu'elle reste ouverte : la voiture ne peut pas s'en aller, Lana ne peut pas avoir Valérien, personne ne peut se faire geler.

— Va-t'en ou je gèle Thaïs, dit Lana.

Mélanie claque la portière et court intercepter son amie avant que celle-ci n'atteigne la voiture.

Lana se rapproche du conducteur et lui glisse quelques mots en bougeant sa langue à la manière d'un serpent.

La voiture s'éloigne.

— Valérien emmène Lana quelque part ? s'étonne Thaïs. Il est devenu fou ? Personne ne se promène avec elle.

— Lana a besoin de parler.

Mélanie invoque la seule raison acceptable pour un adolescent. Si quelqu'un a besoin de parler, on doit l'écouter.

— Lana ? Parler ? dit Thaïs d'un ton sceptique. Elle ne parle jamais, Méli-Mélo. Tu le sais.

— Tu as l'air de bien bonne humeur. Qu'est-ce qui t'est arrivé ? demande Mélanie pour changer de sujet.

— Tu ne devineras jamais !

— Raconte.

Que feront Valérien et Lana du reste de l'après-midi ? Que lui veut-elle ? Mélanie essaie de s'imaginer à la place du conducteur, Lana assise près de lui, avec son ricanement satisfait et son terrible pouvoir.

Mais depuis qu'elle s'est rapprochée, Lana

n'est plus près de lui. Elle est tout contre lui.

Les émotions envahissent de nouveau Mélanie : la crainte, la panique, la rage... et un brin de compréhension.

Elle suit Thaïs chez elle. La cuisine est si réconfortante que Mélanie en vient à se dire que ses craintes sont exagérées.

«Personne n'a le pouvoir de geler quelqu'un, se dit-elle. Je ne peux pas croire que Valérien et moi soyons tombés dans le panneau. Pas étonnant qu'elle ait ri de nous. La pauvre petite Lana a besoin d'être le centre de l'attention et elle a fameusement réussi son coup. Je suis vraiment stupide ! »

Alors qu'elles dégustent un copieux goûter, Thaïs lui annonce avec fierté :

— On m'a nommée hôtesse du *party* des meneuses de claque ! Ça aura lieu ici, Méli-Mélo ! C'est merveilleux ! Ils veulent que ça se passe chez moi.

Ça ne signifie pas que Thaïs est devenue la fille la plus populaire sur terre. Sa mère est probablement la seule qui ait accepté qu'une dizaine de filles survoltées passent la nuit chez elle. De plus, c'est sûrement elle qui préparera le plus de nourriture et qui sera la plus permissive quant aux films que les jeunes voudront visionner.

Mais Thaïs ne le perçoit pas ainsi. Personne ne perçoit jamais la popularité de cette façon. Et Lana ne comprend sans doute pas qu'elle a fait du chantage auprès de Valérien pour qu'il parte avec elle. Elle estime probablement qu'elle ne fait qu'obtenir finalement sa juste part de popularité.

Madame Trahan rentre. C'est une femme séduisante. Lourde, mais du genre dont on ne voudrait jamais qu'elle perde du poids : elle est parfaite telle quelle. Les enfants du voisinage l'appellent maman, bien que tous, sauf Lana, aient une mère.

— Bonsoir, maman, dit joyeusement Thaïs.

— Bonsoir, maman, dit aussi Mélanie.

Madame Trahan les embrasse, les serre dans ses bras et s'assure qu'elles ont suffisamment à manger. Puis elle s'assure d'avoir suffisamment à manger, elle aussi.

— Dites-moi que je n'ai pas vu mon fils se promener avec Lana Anctil, dit-elle.

— Tu ne l'as pas vu, dit Thaïs pour lui faire plaisir.

— Si, je l'ai vu, dit sa mère. Qu'est-ce qui se passe ?

— Lana est amoureuse de Valérien, lui explique Thaïs. Tu ne le savais pas ?

— Si, je le savais. Mais il sort avec Mélanie.

— Ils vont seulement parler, ment celle-ci.

Mais elle se dit : « Peut-être que j'ai peur de réfléchir à ce qui se passe vraiment. Je me dépêche de mettre ça sur une tablette et de faire semblant que ce n'est pas là. Mais Lana est sortie de l'ombre. Elle exige. Elle ne s'en ira pas.

« Elle a Valérien.

« Elle pourrait avoir Thaïs.

« Qu'est-ce que je vais faire ? »

Elle songe à en parler à madame Trahan, mais celle-ci demanderait en riant : « Qu'est-ce que tu racontes ? »

Mélanie a pensé appeler la police, mais s'est dit qu'après s'être moqué d'elle, on lui dira qu'elle fait une crise de jalousie.

— Pensez-vous que Lana est capable d'aimer ? demande Thaïs.

— Non, répond madame Trahan.

— Pourquoi pas ? demande Mélanie.

— Elle n'a jamais reçu d'amour, poursuit madame Trahan. Je n'ai jamais connu d'enfant plus abandonnée. Même quand sa mère était vivante, je ne l'ai jamais vue prendre Lana dans ses bras, l'embrasser, la serrer contre elle. La petite se couchait sans que personne ne la borde. Elle mangeait seule.

Madame Trahan se prépare un café très sucré, puis elle ajoute :

— Pauvre Lana. C'est suffisant pour glacer le cœur de n'importe qui.

CHAPITRE 5

Thaïs et sa mère discutent de la fête des meneuses de claque. Madame Trahan approuve tout ce que sa fille lui propose.

Encore une fois, Mélanie est impressionnée. Sa propre mère aurait installé des barricades. Elle aurait confiné les invitées au sous-sol et à la cour. Le soir de la fête, elle aurait constamment arpenté les lieux, surveillant et leur rappelant les règles du savoir-vivre.

Mélanie n'est pas meneuse de claque. Elle se sent laissée en dehors des préparatifs. Lorsqu'elle les quitte, en fin d'après-midi, Thaïs et sa mère s'aperçoivent à peine de son départ.

Pour entrer chez elle, elle a le choix entre trois portes : celle à l'avant de la maison, celle de la cuisine et celle du garage. Pour passer par le garage, il faut se faufiler entre les voitures silencieuses et les déchets empilés le long du mur. Il y règne une écœurante odeur d'huile. L'hiver, il y fait toujours noir.

Mélanie déteste rentrer par là. Mais si elle passe par l'avant, elle sera exposée aux regards de Lana. Si celle-ci est chez elle. Si celle-ci a détourné son regard de Valérien.

Mélanie ne peut emprunter la porte de la cuisine qui est verrouillée.

La porte du garage s'ouvre en grinçant.

« Lana aurait-elle vraiment gelé Thaïs ? » se demande Mélanie. Elle recommence à y croire depuis qu'elle a quitté la chaleureuse présence de madame Trahan. Ici, dans l'obscurité répugnante, ça paraît bien possible.

Ça fait des heures maintenant que Valérien et Lana sont seuls ensemble.

Mélanie entre dans la maison, mais n'allume pas de peur que Lana, de l'autre côté de la rue, ne sache qu'elle est rentrée.

Bien que Lana soit toujours au courant de tout.

Et elle qui peut se matérialiser à volonté, pourrait soudainement se trouver appuyée au mur recouvert de papier peint, dans cette pièce, pour pousser son ricanement glacial.

Mélanie a besoin de toute sa volonté pour ne pas allumer. « Lana n'est pas ici, se dit-elle. Je ne vais pas perdre la tête. »

Elle va s'asseoir dans la salle à manger

dont la fenêtre donne sur l'allée des Trahan. Mélanie surveille l'arrivée de Valérien.

Il ne revient qu'à l'heure du souper.

Il gare la voiture de sa mère et reste un long moment immobile au volant avant de sortir. À quoi réfléchissait-il ?

Il a été seul avec Lana pendant trois heures. Jusqu'où sa courtoisie l'a-t-elle entraîné ?

La main sur sa cuisse était mince et blanche comme un bâton sans écorce. Que ressentait-il à son toucher ?

A-t-il frissonné ?

Les mains de Lana, qui gèlent les corps et les cœurs, peuvent-elles créer d'autres sensations aussi ?

Il ne jette pas de regard vers la maison de Mélanie ni vers la sienne. Il marche si lentement qu'on le croirait blessé. Il a de la difficulté à ouvrir la porte d'entrée et à la refermer.

Lorsque celle-ci s'est refermée, Valérien est aussi perdu pour Mélanie qu'il l'a été pendant sa promenade avec Lana.

La maison baigne dans un grand silence. Mélanie n'a pas allumé la radio ni la télévision. Ses parents ne sont pas encore rentrés.

Elle se sent si seule qu'elle a envie de courir chez les Trahan.

Mais Lana surveille certainement les environs. C'est ce qu'elle a toujours fait : se cacher dans les ombres et observer les autres. Ce n'est pas une vie.

Dès sa naissance, Lana a été remisée sur une tablette, tandis que les autres mordaient dans la vie à pleines dents.

Il est temps pour Mélanie, elle-même, de poursuivre sa vie. Elle fait le tour de la maison en allumant dans chaque pièce. Puis elle s'assoit à côté du téléphone.

Elle ne peut pas croire qu'il ne sonne pas. Valérien sait que la chose la plus importante au monde, en ce moment, c'est de l'appeler pour lui dire ce qui se passe.

Il n'appelle pas.

Les parents de Mélanie rentrent. La routine chez les Morin ne varie jamais. Son père et sa mère sourient en la voyant, l'embrassent doucement sur le front ou la joue et lui demandent comment a été sa journée. Mélanie envie la passion qui règne chez les Trahan : la pagaïe, le bruit, le désordre et l'exubérance.

— J'ai eu une bonne journée, répond-elle. J'ai amélioré mon espagnol et mon cours d'histoire était vraiment intéressant.

Ses succès de la matinée pourraient avoir eu lieu il y a mille ans.

Ses parents veulent l'entendre prononcer quelques mots en espagnol et savoir ce qui l'a intéressée en histoire.

Mais c'est l'attention de Valérien qu'elle veut.

Il n'appelle pas non plus après le souper.

À vingt et une heures trente, Mélanie décide de l'appeler.

C'est lui qui décroche.

— Bonsoir, Mélanie, dit-il sans rien de spécial dans la voix.

— Tu es seul?

— Non.

— Qui écoute?

— Tout le monde.

— Qu'est-ce qui s'est passé?

— Je te le dirai une autre fois.

— Il faut que je le sache ce soir. Je ne pourrai jamais m'endormir sans savoir!

Il soupire et ne dit rien.

— Je t'attendrai au camion, dit-elle.

Ils se sont donné rendez-vous ainsi à quelques reprises. Sortant sans bruit de chez eux, ils traversent leur cour et descendent la pente glissante d'humidité nocturne. Puis ils s'assoient dans la cabine du camion pour parler. Ils ne peuvent pas fermer les portières parce que leurs parents entendraient le bruit. De plus, depuis que les poignées sont brisées, ils ne veulent pas risquer de rester prisonniers à l'intérieur.

La cabine n'est pas un endroit romantique.

L'été, il y a les moustiques. L'hiver, il y fait froid. Les pieds de Mélanie deviennent glacés, aussi froids que le cœur de Lana. Et on est en janvier.

— D'accord, finit par dire Valérien.

— Quand ?

— Même heure.

— Vingt-trois heures ?

— O.K.

— Je ne devine rien d'après le son de ta voix. Qu'est-ce qui se passe ? Est-ce que ça va ? Qu'est-ce qu'elle t'a fait ?

— Ça va.

— Je t'aime.

Un long silence, puis il répète :

— Ça va.

Mais ça ne va pas.

Les parents de Mélanie aiment se mettre au lit un peu avant vingt-trois heures pour regarder le journal télévisé, confortablement adossés à la tête de lit capitonnée. Durant la demi-heure suivante, Mélanie peut faire tout ce qu'elle veut sans qu'ils s'en rendent compte.

Dès que leur porte se ferme, elle descend au rez-de-chaussée mettre son manteau le plus chaud.

Dehors, le vent la mord au visage.

Elle a l'impression d'être un explorateur sur une banquise.

Il n'y a pas de clair de lune.

Elle ne voit rien. Mais la lueur d'une lampe de poche serait une pointe de diamant pour les yeux inquisiteurs de Lana. Celle-ci ne doit jamais rien savoir de l'intimité et des plaisirs de la cabine du camion caché dans les ombres.

Le sol devient détrempé et Mélanie glisse.

«Où suis-je?» se demande-t-elle.

Une main la saisit par les cheveux.

Elle a trop peur pour crier.

— Tu as dépassé le camion, murmure Valérien. Reviens sur tes pas.

Il la ramène jusqu'au véhicule dont la porte est grande ouverte du côté du conducteur. Elle aurait pu se cogner dessus en passant. Elle grimpe à l'intérieur. Il la suit et ils se serrent l'un contre l'autre sur le large siège.

— Raconte, dit Mélanie.

— Quoi?

— Tout sur Lana!

Il se tait.

Ses yeux écarquillés sont luisants.

— Lui as-tu expliqué clairement que toi et moi, on est un couple? lui demande-t-elle.

Il reste silencieux encore un long moment avant de répondre:

— Non.

— Pourquoi?

— Parce que.

Elle le déteste. Autant qu'elle l'aime.

Valérien ferme ses yeux luisants et Mélanie se sent seule.

— Elle était sérieuse, dit-il.

Il ne touche pas Mélanie. Il passe ses mains sur le tableau de bord défoncé, aussi délicatement que si c'était du velours.

— Quand on se parlait, elle était assise toute raide à côté de moi. J'avais l'impression de me promener avec un mannequin sorti d'une vitrine. Elle ne m'a jamais quitté des yeux et elle ne les a jamais clignés. Personne ne devrait avoir des yeux aussi pâles. Mais elle est entièrement faite comme ça. Ce qui était humain en elle a été détruit, javellisé.

Il regarde ses mains jointes. Il a peut-être été obligé de tenir la main de Lana.

— Elle veut geler Thaïs, dit-il.

— Pourquoi Thaïs ? Pourquoi pas moi ?

Valérien joue avec la poignée cassée. Le vent souffle par la portière ouverte et, comme un rat, vient mordre les joues de Mélanie.

Celle-ci répond mentalement à sa propre question : « Parce que Valérien prendrait le risque avec moi. Il blufferait pour sa voisine. Mais il n'oserait pas bluffer si sa sœur est en jeu. Thaïs est importante. »

Valérien a vécu différentes étapes avec sa

famille. À certaines époques de sa vie, il sup-
portait à peine d'avoir un petit frère et une
sœur; il trouvait leurs prénoms ridicules et il
souhaitait être adopté ou envoyé dans un
pensionnat. Il lui est arrivé de se battre avec
Thaïs et Burnouf et de se montrer odieux
avec eux.

Mais il les aime.

— Lana est jalouse de nous, les Trahan,
dit-il lentement. Notre famille tient. On
s'entend bien. On se parle, on s'embrasse, on
se dispute, on partage, on mange ensemble.
On est une vraie famille.

«Moi aussi, j'en suis jalouse, se dit
Mélanie. C'est étrange que je puisse comprendre Lana là-dessus.»

— Lana est seule, dit Valérien. Elle l'a
toujours été et elle ne le supporte plus. Elle
m'a choisi.

Sa voix a pris un ton étrange pour dire ça.
Peut-il se sentir fier d'avoir été choisi par
Lana?

— Elle ne cherche qu'un prétexte, Méli-
Mélo, dit-il doucement. Elle est prête à geler
quelqu'un. Je ne peux pas lui fournir un prétexte.

— Empêche-la!

— Comment?

La question résonne dans l'air glacé et
attend une réponse.

Mais il n'y en a pas.

Aucun parent, aucun policier ou directeur d'école ne saurait empêcher Lana de toucher quelqu'un qu'elle veut toucher. Aucun cadeau, aucune promesse ne peuvent satisfaire son exigence. Elle veut Valérien.

— Qu'est-ce que tu vas faire vendredi soir? demande finalement Mélanie.

C'est la soirée de danse. Valérien n'y a jamais emmené de fille. Il est allé à de nombreuses danses, bien sûr, mais il n'a jamais dansé. Il se tient avec les autres garçons et fait des conneries, comme se suspendre au panier de basket-ball, par exemple, et le plier et devoir payer le coût de la réparation.

— Il faut que tu comprennes, dit-il.

Il veut dire qu'il n'emmènera pas Mélanie à la danse. Elle a envie de renverser le camion sur lui.

— Lana ne gèlera pas Thaïs, crie-t-elle. Elle sait que tu ne sortiras pas avec elle si elle gèle ta propre sœur.

— Elle a dit qu'elle le ferait, dit-il avec difficulté.

Si Mélanie pleure, il ne la consolera pas. Il est gelé dans ses propres soucis: il doit protéger sa petite sœur. C'est ce qui importe le plus pour lui.

«Je veux être la personne la plus importante pour lui!» pense Mélanie.

Elle se glisse plus loin sur le siège et pousse la poignée. Celle-ci étant cassée, il ne se passe rien, bien sûr. Elle essaie de baisser la vitre pour ouvrir de l'extérieur. Cette poignée-là aussi est cassée. Elle tâtonne et marmonne au lieu de partir précipitamment. Finalement, elle doit se retourner vers Valérien.

Il sourit.

— Espèce de vaurien! dit-elle.

Elle déteste qu'on se moque d'elle.

La confusion et l'inquiétude de Valérien s'évaporent. Il sourit plus largement. Il penche la tête en arrière pour se retenir de rire. Il n'a jamais été plus beau.

— Ne te fâche pas, dit-il en déboutonnant le manteau de Mélanie. D'accord, je dois emmener Lana à une danse. Et puis après? Je vais me débarrasser d'elle d'une manière ou d'une autre. On sera de nouveau ensemble, O.K.?

Il se colle contre elle, les mains et la bouche caressantes. Le froid est oublié. Le siège défoncé et les poignées cassées n'ont plus d'importance. La chaleur de leurs deux corps se mêle et ils perdent le souffle, désespérément.

Oui, ils seront de nouveau ensemble. Que peut Lana Anctil contre la force d'un grand amour?

L'adoration de Mélanie pour Valérien

est si intense qu'il semble impossible de résister à sa pression ; ils vont exploser d'amour l'un pour l'autre. Mélanie le serre dans ses bras dans l'étreinte la plus passionnée, la plus satisfaisante.

« Plus, plus, plus, se dit-elle. Je n'en aurai jamais assez de toi, Valérien. Plus, plus. »

Une mince main blanche vient jouer dans les cheveux de Valérien et replacer doucement une mèche derrière son oreille.

Cette main n'appartient pas à Mélanie.

Un ongle pointu trace le profil de Valérien et se pose sur ses lèvres.

Cet ongle n'appartient pas à Mélanie.

Un poignet osseux s'insère délicatement entre le visage de Valérien et celui de Mélanie. Les doigts de neige frôlent la joue de Mélanie.

— Il est à moi, chuchote Lana.

Mélanie entend, mais sa vue est brouillée.

Ni elle ni Valérien ne s'écarte. Mais il n'y a plus de chaleur entre eux. Leur excitation s'est refroidie.

Seule, la main de Lana bouge, caressant ici, touchant là.

Elle couvre ses victimes de regards chargés d'amour pour l'un et de haine pour l'autre.

Le jeu du chat gelé se poursuit.

C'est encore Lana qui touche.

CHAPITRE 6

Le vent souffle férocement sur le Chemin des Fougères.

La neige tombe à gros flocons.

Thaïs est éveillée. Elle a les yeux grands ouverts, la respiration saccadée, le cœur affolé. « Qu'est-ce qui me prend ? » se demande-t-elle.

Elle se lève et va silencieusement jusqu'à la chambre des garçons. La porte est entrouverte pour que Valérien puisse rentrer sans faire de bruit. Thaïs ouvre tout grand.

Valérien n'est pas rentré.

Thaïs traverse la pièce et va regarder par la fenêtre. Les traces de Valérien sont presque entièrement recouvertes par la neige, maintenant. Elle sait que son frère est dans son Chevy, mais si des sauveteurs le cherchaient, ils ne penseraient pas à regarder dans le camion. Depuis combien de temps est-il là-bas? Son cœur s'affole de nouveau, alimenté par l'angoisse.

— Tu penses que ça va pour eux? chuchote Burnouf.

Thaïs sursaute. Elle croyait qu'il dormait. Elle hausse les épaules et répond:

— Je suppose qu'ils s'amusent.

— Il fait drôlement froid pour s'amuser.

Penser que leur frère s'«amuse» avec leur amie Mélanie les rend mal à l'aise.

— J'en ai des haut-le-cœur, dit Burnouf qui espère ne jamais se disgracier de la sorte lorsqu'il sera plus vieux.

Thaïs respire profondément deux fois avant d'être capable de prononcer la phrase suivante:

— Lana aussi est là-bas.

— Tu l'as vue allumer chez elle? demande Burnouf en s'assoyant dans son lit.

— Je l'ai vue traverser la rue.

Burnouf est béat d'admiration. Personne ne voit jamais Lana traverser la rue.

— Lana aime Valérien, dit Thaïs.

— Elle l'a toujours aimé. Ça me donne des crampes. Je crois qu'on devrait livrer Valérien à des terroristes si jamais il se met à aimer Lana.

— C'est elle la terroriste.

«Je suis terrorisée!» se dit Thaïs. Et elle propose:

— Allons voir ce qui se passe.

— Ouais, mais… et si tout à coup…
Valérien et Mélanie… tu sais… font…

Que fait Lana dans la neige à une heure
du matin?

— Il est arrivé quelque chose à l'école,
raconte Thaïs. Lana a gelé une fille. Comme
elle l'avait fait quand on était petits et que le
jeu du chat gelé devenait vrai.

— Ça n'a jamais été vrai.

— Alors pourquoi est-ce que tu
remontes tes couvertures? C'est parce que tu
te souviens de ce soir-là.

— Non.

— Oui.

Thaïs jette un regard par la fenêtre, puis
regarde de nouveau son frère. Il soutient son
regard, puis dit:

— O.K., allons voir. Mais Valérien ne
nous le pardonnera pas facilement si on
interrompt un bon moment.

La portière du camion est ouverte.

Lana se balance dessus, se poussant en
avant et en arrière, avec un de ses petits pieds.
Ce qu'elle voit à l'intérieur la fait sourire.

Elle sait que Thaïs et Burnouf sont là,
mais elle ne les regarde pas. Elle est trop satisfaite par le spectacle qu'elle a sous les yeux.

Burnouf saisit la main de sa sœur et

celle-ci en est heureuse. Sans s'approcher de Lana, ils regardent dans la cabine.

Deux statues. Aussi froides et blanches que du marbre.

Sculptées en train de s'étreindre, leurs lèvres ne se touchant pas complètement, les yeux à demi fermés.

— Bonsoir, Thaïs, dit Lana en ricanant. Bonsoir, Burnouf.

La neige a cessé de tomber. Le vent s'est calmé. Le monde est lisse, pur et blanc.

— Ils sont morts ? demande Burnouf dans un souffle.

— Seulement gelés !

Le ricanement est chargé de colère.

« Je dois la raisonner, se dit Thaïs. Je me souviens de la dernière fois qu'on a joué au chat gelé. Valérien l'avait raisonnée. Il lui avait dit qu'il était impressionné. »

— Je suis impressionnée, Lana, dit-elle. Ils ont l'air très vrais.

Lana l'honore d'un regard de dégoût.

— Ils sont vrais. Ce sont ton frère et ta voisine.

— Ils vont mourir s'ils restent ici.

— Ils n'avaient qu'à rester chez eux. Il avait promis de me préférer. Il a brisé sa promesse.

— Donne-lui une deuxième chance. Il gardera sa promesse maintenant.

Thaïs se demande si son frère l'entend. Écoute-t-il? Obéira-t-il? Sa vie en dépend.

— Ils ne voulaient pas croire que je pouvais le faire.

— Moi, je t'ai crue, dit Thaïs en souriant pour donner l'impression qu'elle est une amie, une alliée, une personne dont le frère mérite d'être sauvé.

Burnouf n'est pas aussi conciliant.

— Tu écœures, Lana, dit-il d'un ton coléreux. Tu n'as pas le droit de terroriser les gens.

— Mais les gens ont raison d'être terrorisés, réplique Lana en souriant.

— Dégèle-les tout de suite, ordonne Burnouf. Ou je vais aller chercher mon père et ma mère.

Lana éclate de rire.

— Ce ne serait pas la première fois que deux ados sont gelés à mort parce qu'ils s'embrassent au mauvais endroit au mauvais moment.

— Ou je vais appeler le 9-1-1. Ils vont les sauver.

— Non, ils ne peuvent pas les sauver, dit tranquillement Lana.

Le cœur battant et les poumons oppressés de Thaïs fonctionnent au ralenti. Ni parents ni équipe médicale ne peuvent les sauver.

D'abord, elle avait pensé implorer Lana:
« Burnouf et moi, on fera tout ce que tu
voudras, si tu dégèles Valérien et Mélanie. »
Mais elle s'est retenue. Quelle promesse
Lana leur aurait-elle extirpée? Alors elle dit:

— Tu l'aimes, Lana. Alors, il vaut
mieux qu'il soit vivant. C'est beaucoup plus
intéressant.

— Il a brisé sa promesse.

— Mais il a eu sa leçon maintenant. Il
nous écoute en ce moment. Il est prêt à
obéir.

Lana paraît réfléchir à cette idée. Ses
regards passent du froid au chaud.

— J'aime faire ça, dit-elle finalement à
Thaïs.

Sa voix est riche. De quoi?

« De désir, se dit Thaïs. Pas pour
Valérien, et pourtant c'est du désir. Un désir
insatiable de faire du mal. »

Il fait très froid.

« Il faut qu'elle les dégèle! pense Thaïs.
Qu'est-ce que je peux lui offrir? C'est mon
frère! C'est ma meilleure amie! »

Lana se balance sur la portière. On dirait
une fillette à une fête d'anniversaire, prête à
s'étendre dans la neige pour y faire un ange.

Lana! Un ange?

— Je sais! dit-elle en feignant l'enthou-
siasme. Lana, tu peux venir à mon *party* de

meneuses de claque! Ça se passera chez moi!
On s'amusera beaucoup.

Lana cesse de se balancer. Elle jette un
regard bref à Thaïs et un autre à l'intérieur
du camion.

— Mélanie ne pourra pas venir, ajoute
vivement Thaïs. Seulement toi.

Lana penche la tête de côté.

— Tout ce que tu as à faire, c'est les
dégeler, dit Thaïs d'une voix chaleureuse.

Elle feint de désirer la compagnie de
Lana, de vouloir devenir son amie, ajoutant:

— Tu auras un amoureux, une danse et
un *party*, Lana. Dans quelques jours. Ça,
c'est magnifique!

Burnouf regarde sa sœur comme si elle
était une étrangère.

— Bon, dit finalement Lana.

— Super! s'exclame Thaïs. Dégèles-les!
Tu viendras au *party*.

— Je vais dégeler Valérien, mais pas
Mélanie.

CHAPITRE 7

— Seulement si tu dégèles Mélanie aussi, dit Valérien.

Mélanie est encore gelée. La neige qui entre par la portière ouverte s'accumule sur elle. Bientôt, elle ne sera plus visible.

Une statue oubliée sous la neige.

— Non, dit Lana.

C'est un non très ferme. Elle ne dégèlera pas Mélanie Morin.

« Je vais rester gelée », se dit celle-ci.

C'est étrange qu'elle puisse encore penser, alors que, à un certain niveau, ses pensées sont gelées. Elle ne ressent à peu près rien : ni regret insupportable que sa jeune vie se termine, ni inquiétude terrifiante sur ce qui viendra après — une nouvelle existence, le vide, ou simplement la continuité éternelle de sa condition de statue. Elle se contente d'observer et de rester attentive.

«C'est comme si j'étais un arbre, se dit-elle. Et que ma sève ne circulait plus. Je ne pleure pas. Je ne ris pas. J'attends tout simplement. Si les saisons changent, je revis. Sinon, je meurs.»

Elle est surprise de ne ressentir aucune frayeur. Elle craignait tellement Lana avant. Peut-être que sa peur est gelée, elle aussi.

Valérien secoue la tête.

— Alors, je ne peux pas tenir ma promesse, déclare-t-il.

Mélanie ne voit presque plus rien. La neige s'accumule dans ses yeux ouverts. Il ne reste qu'un trou jaune dans la noirceur de la nuit. C'est la lueur de la veilleuse allumée dans la chambre de Thaïs.

«Veilleuse, quel joli mot! se dit Mélanie. Dans la véritable nuit, cette nuit qui va durer toujours, il n'y a pas de lumière.»

Elle sera bientôt plongée dans le noir total.

— Je ne veux pas que Mélanie revienne, explique Lana. J'aime quand elle est gelée. J'adore la geler. Elle sait que ça s'en vient, tu vois. C'est bien plus amusant quand ils se rendent compte que ça s'en vient et qu'ils savent ce qui va se passer. J'adore ça quand ils ont peur et que ça se voit dans leurs yeux.

«Oui, j'étais terrifiée, se dit Mélanie. J'ai hurlé assez fort pour ameuter des armées.

Mais les armées ne sont pas venues à ma rescousse. La neige a étouffé mon cri. La neige et l'étreinte de Valérien. J'ai crié contre sa poitrine. Je ne sais pas s'il a crié aussi. On a arrêté si soudainement de bouger. »

— Ma mère ne se doutait de rien, poursuit Lana.

Il est évident qu'elle est déçue. Elle aurait voulu que sa mère sache ce qui allait se produire. Mélanie découvre qu'elle peut avoir encore plus froid, que son cœur peut encore frémir d'horreur à cause de Lana Anctil.

— Et cette fille à la cafétéria, reprend Lana d'un ton boudeur. Évidemment, elle ne devinait pas ce qui allait se passer.

La neige s'est accumulée sur les yeux de Mélanie et l'empêche maintenant de voir la lueur de la veilleuse dans la chambre de Thaïs.

— Mais Mélanie savait, dit encore Lana d'un ton satisfait. Elle a regardé mon doigt s'avancer vers elle.

Thaïs gémit. Mélanie se demande pendant combien de temps encore elle sera capable d'entendre.

— S'avancer ! souffle Lana passionnément. Mon doigt s'avançait lentement. C'était comme le couperet de la guillotine qui descendait sur sa gorge. Mélanie savait ce qui allait se passer et elle avait peur.

Mélanie est complètement aveuglée, mais elle devine que Lana sourit. Elle comprend que c'est la sensation la plus proche du bonheur que puisse connaître Lana.

La voix de Valérien tremble et Mélanie l'aime davantage pour ça. Elle souhaiterait qu'il puisse savoir qu'il est encore aimé.

— Tu seras toujours ma préférée, Lana, dit-il. Mais pas si tu abandonnes Mélanie ici dans cet état.

Lana renifle de dépit, agacée par l'exigence de Valérien et la traitant en bluff. Elle ne dégèle pas Mélanie sous sa couverture de neige.

— Venez, Burnouf, Thaïs ! ordonne Valérien. C'est jour d'école, demain. On doit dormir un peu.

Mélanie entend la neige crisser sous leurs pas, tandis qu'il pousse son petit frère et sa sœur vers le haut de la pente en direction de leur maison.

Elle ne les entend pas parler.

Les deux plus jeunes ne discutent pas son ordre.

Ils l'abandonnent.

Ils vont vers la chaleur, la sécurité, la lumière.

Et alors, les émotions absentes arrivent en trombe : elles déferlent comme une avalanche glissant vers le bas d'une montagne. Mélanie s'enfonce très profondément dans une peur plus terrifiante que tout ce qu'elle a jamais imaginé. Elle est abandonnée. Elle reste seule avec Lana Anctil. Elle a froid. Il n'y a aucune chaleur nulle part. Elle est perdue. Il n'y a pas de secours pour elle dans ce monde.

Son corps est incapable de traduire ces émotions. Elle pleure, mais sans larmes. Elle frissonne, sans trembler. Elle crie, sans un son.

Ses seuls amis, les seuls qui savent, qui se soucient d'elle, l'ont abandonnée!

Il n'y a pas que son corps qui gèle.

Elle est tombée entièrement, corps et âme, cœur et esprit, sous l'emprise de Lana. La nature fera le reste.

Son âme pleure la fin de son existence, la peine que ses parents ressentiront, les années qu'elle ne vivra pas, tous les espoirs, les joies et les frustrations qu'elle ne goûtera pas.

Lana tape du pied dans la neige. Ça fait un petit bruit pathétique dans la majesté de la nuit.

— Je pensais qu'il bluffait, dit-elle avec colère. Je ne croyais pas qu'il pourrait vraiment t'abandonner dans la neige, Mélanie.

«Comment sait-elle que je peux l'entendre? se demande celle-ci. Parce qu'elle en a gelé et torturé beaucoup d'autres avant moi. Et ce n'est pas fini. Elle en gèlera et torturera encore beaucoup d'autres dans le futur.»

Lana donne des coups de pied dans la neige, comme un enfant coléreux dévastant sa chambre.

«Son pouvoir n'est pas très étendu, se dit Mélanie. Elle ne peut l'utiliser que d'un toucher du doigt à la fois. Valérien est parti et elle a perdu la partie.

«Et moi… moi aussi, j'ai perdu.»

— Oh! d'accord! crie Lana à l'intention de Valérien. Tu entends? J'ai dit: d'accord!

«D'accord quoi?» se demande Mélanie. Elle est presque complètement gelée. Elle n'aura plus beaucoup d'autres pensées. Ou d'autres minutes de conscience. Alors, ça n'a pas vraiment d'importance.

Lana la frappe au côté. Encore comme un petit enfant qui en pince un autre parce qu'il ne reçoit pas assez d'attention.

Mélanie bouge la main, enlevant la neige de ses yeux. Elle secoue ses cheveux. Faisant des efforts pour se lever, elle se cogne aux limites étroites de l'affreuse et froide cabine.

Il ne lui reste en mémoire que des bribes de ce qui vient de se passer.

«Qu'est-ce que je fais ici?» se demande-t-elle.

Elle a si froid qu'elle est véritablement gelée. Elle est incapable de se redresser.

Mais voilà que Valérien la serre dans ses bras. Il la sort de la cabine, la portant comme un bébé, la réchauffant d'une étreinte passionnée.

« Oh ! tu es revenu pour moi ! » pense-t-elle. Les lèvres du garçon réchauffent les siennes qui sont glacées. Leur baiser la fait fondre un peu ; alors, elle sourit un peu et est un peu sauvée.

« Lana, tu as perdu », pense Mélanie.

De l'abri adorable formé par les bras de Valérien, elle examine Lana. C'est la première fois qu'elle la voit clairement depuis qu'elle a été gelée.

Ce n'est pas toujours une bonne chose de voir clairement la réalité. Celle-ci est terrifiante. Lana Anctil est très tranquille. Et très jalouse.

Et très proche.

Son doigt est levé comme une arme.

Il n'est pas pointé vers Mélanie.

Il n'est pas pointé vers Valérien.

Mais vers Thaïs.

Celle-ci se tient absolument immobile, comme si elle était tombée sur un serpent venimeux dans un sentier de forêt, ou attaquée par un chien féroce ou menacée par un terroriste fanatique.

Peut-être que Lana est tout cela à la fois.

Ses yeux, lessivés de toute humanité, fixent Valérien d'un regard glacé.

— Alors ? dit-elle.

Valérien dépose Mélanie dans la neige et s'en écarte.

— Excuse-moi, dit-il à Lana.

Elle n'accepte pas ses excuses. Son doigt reste pointé à un demi-pouce de la joue de Thaïs. Sachant ce qui va se passer, celle-ci tressaille de peur, ce qui fait ricaner Lana.

— C'était par habitude, dit-il.

— Tu allais la porter jusque chez elle, dit Lana, les traits de pierre.

« Pourquoi est-ce que je pensais que l'amour peut vaincre le Mal ? se demande Mélanie. Quelle idée stupide m'a persuadée que parce qu'on s'aime, Valérien et moi, tout ira bien ? »

Un sourire forcé se plaque sur le visage du garçon. C'est sa petite sœur qui est en jeu.

— Tu sais ce que j'aimerais, Lana ? dit-il.

Son sourire est en mille morceaux, mais il flirte tout de même.

— Quoi ? demande Lana pour le tester.

— J'aimerais te porter jusque chez toi.

En disant cela, son sourire s'est solidifié. Il fait un pas en direction de Lana. Celle-ci baisse son doigt. Il en fait un autre. Elle lui sourit. Mélanie en a un haut-le-cœur, mais Valérien continue de sourire. Il soulève facilement Lana. Elle ne doit pas peser lourd.

« Comme si elle n'était qu'une enveloppe de personne, bourrée de paille. Peut-être que ses cheveux secs ne sont que de la bourre qui s'en échappe. »

Valérien ne regarde ni sa sœur, ni son frère, ni sa petite amie. Il porte Lana jusqu'en haut de la pente. Ils rient tous deux. Quelle blague peuvent-ils bien partager ?

— Ça va, Mélanie ? chuchote Thaïs.

« Bien sûr, se dit Mélanie. Je passe souvent cette épreuve et ça ne me laisse jamais de marque... Si je peux en rire, c'est que je m'en tire pas mal. Mais comment Valérien va-t-il s'en tirer ? Que vient-il de promettre ? Dans quoi sommes-nous embarqués ? »

— Personne ne s'est réveillé, fait remarquer Burnouf en examinant les maisons sombres du Chemin des Fougères.

Mais aucun parent ne s'est jamais réveillé pour Lana. Ils ont seulement pitié d'elle, parce qu'elle n'a jamais été aimée.

« Il y a une bonne raison à ça, pense Mélanie. Lana n'est pas aimable. Elle est détestable. D'où lui vient son pouvoir ? L'a-t-elle toujours possédé ? Qui le lui a donné ? Quelle force mauvaise l'a véritablement mise au monde ? »

Mélanie ressent une certaine sérénité à savoir que madame Anctil n'a pas deviné ce qui allait lui arriver, qu'elle conduisait sa

Jaguar si vite qu'elle n'a pas vu sa mort approcher.

Est-ce que Lana possède Valérien pour toujours?

Peut-elle tenir le quartier en otage pour toujours?

CHAPITRE 8

Au cours des jours suivants, Mélanie découvre à quel point la vie est froide sans ses meilleurs amis.

À quel point on est glacé lorsqu'on manque d'amour.

Valérien ne la regarde jamais. Peut-être qu'il n'ose pas. Peut-être que Lana le lui a interdit et qu'il connaît les conséquences d'une désobéissance. Mais combien Mélanie aurait aimé recevoir un coup de téléphone, un petit mot, ou un regard triste à travers la pièce ! Pour qu'ils puissent se dire : «Oui, c'est arrivé ; ça fait mal ; on a peur ; on est séparés. »

Mais il n'essaie pas de communiquer avec elle. Elle se répète sans cesse qu'il agit ainsi pour la protéger, mais elle doute. Une fille amoureuse n'est jamais sûre de rien.

Ce qui est encore pire, c'est d'avoir perdu

sa meilleure amie. Parce que c'est à elle qu'on raconte tout.

Thaïs ne regarde jamais Mélanie non plus. Celle-ci ne participe ni aux préparatifs ni à la fête donnée pour les meneuses de claque. Elle reste seule.

« Thaïs me protège », se dit-elle. Mais elle ne se sent pas protégée. Elle se sent terriblement seule, abandonnée et désertée.

Après l'école, lorsque Valérien a la voiture de sa mère, c'est Lana qui s'assoit près de lui et qu'il reconduit. C'est Lana qui le rencontre à son casier, qui dîne avec lui, qui lui téléphone le soir.

Mais c'est à Mélanie qu'on demande de fournir les explications d'un tel comportement. Personne n'ose dire à Valérien :

— Es-tu devenu fou ?

Et personne ne parle à Lana.

Richard, le meilleur ami de Valérien, qui trouve les filles énervantes, est venu demander à Mélanie :

— Qu'est-ce qui se passe ? *Lana* ? Est-ce que Valérien est tombé sur la tête ?

Mélanie ne peut pas donner la vraie réponse, qui est trop absurde. Personne ne la croirait. On penserait que c'est Mélanie qui est tombée sur la tête. Alors, elle ne répond rien et ses yeux s'emplissent de larmes. Parce qu'elle ne sait pas comment se gagner des alliés et former une armée contre Lana Anctil.

— Valérien et moi, on devait aller chercher des pièces pour son camion, raconte Richard. Des poignées pour que les portières puissent s'ouvrir par en dedans. Lana a dit que ça ne l'intéressait pas de venir avec nous. Valérien lui a dit qu'ils se verraient demain, alors. Mais elle a protesté: «Non, on se voit aujourd'hui.». Et il a répondu: «O.K.». Il n'a même pas discuté! Il va rester avec elle plutôt que de venir avec moi? Au moins quand il sortait avec toi, il faisait aussi des choses normales.

Mélanie fait un vrai sourire.

— Il n'y a pas de quoi sourire, dit Richard, avant de s'en aller.

Mélanie voudrait demander à Valérien comment il se sent lorsqu'il est tout près de Lana. Elle voudrait demander à Thaïs comment son frère se comporte chez lui et ce que pensent leurs parents en le voyant fréquenter Lana, et ce qui va se passer ensuite.

Elle veut faire partie d'un groupe.

Elle veut combattre.

Mais comment combattre une Lana?

Si Valérien, qui est un sportif, ne sait pas se battre, comment Mélanie le pourrait-elle? Quelle arme pourrait-elle utiliser?

Existe-t-il une arme?

— Bonsoir, dit madame Morin en embrassant sa fille. As-tu eu une bonne journée?

Mélanie ne peut pas empêcher ses yeux de s'emplir de larmes.

— Qu'est-ce qui ne va pas? demande gentiment sa mère.

— C'est Valérien.

— Je sais. C'est dur de se quitter. Il t'a blessée? Veux-tu que je le tue?

— Je ne veux pas qu'il soit tué, répond Mélanie en réussissant à sourire de la blague. Je voudrais…

Que voudrait-elle? Chaque fois qu'elle voit Lana, elle se souvient de l'horreur d'avoir été gelée. Mais lorsque Lana n'est pas là, son pouvoir paraît impossible et Mélanie est embarrassée de tout expliquer.

Elles vont dans la chambre de sa mère pour que celle-ci puisse enlever ses chaussures et s'étendent l'une contre l'autre sur le lit.

Mélanie se rappelle soudain des centaines de moments de tendresse pareils pendant lesquels elle a partagé avec sa mère ses joies et ses peines. Les jours froids, elles se couvraient d'une douillette; les jours chauds, elles allumaient le ventilateur.

Mélanie se souvient aussi que sa mère sortait de son sac une nouvelle surprise chaque soir. Un petit rien parce que ça ne prend pas grand-chose pour rendre une fillette heureuse.

« Mais je ne voulais jamais rester ici, pense Mélanie. Je voulais tout le temps être chez les Trahan. Qu'est-ce qui me prenait ? J'étais bien chez moi. Pourquoi est-ce que j'étais certaine qu'on était mieux chez eux ? »

— Maman, est-ce que ça te dérange que je passe tant de temps chez les Trahan ?

— Oh oui ! Mais c'est surtout ton père à qui ça déplaît. Moi, je comprends que tu aies envie de compagnie. Tu es très sociable. Tu aimes le bruit et l'agitation. On n'est pas assez nombreux ici. Et ton père et moi sommes trop tranquilles à ton goût.

— Est-ce que ça te fait de la peine ?

— Parfois. J'ai souvent souhaité que les enfants du voisinage viennent ici pour changer. Quand tu étais petite, j'achetais de la crème glacée, des beignes, du maïs soufflé en espérant être celle qui régalait les enfants, mais ce n'était jamais moi.

Mélanie a toujours cru que sa mère détestait recevoir de la visite.

Elle tourne la tête pour regarder sa mère. Quelle jolie femme !

« Pourquoi est-ce que j'ai toujours voulu être avec madame Trahan ? » se demande Mélanie.

Suffoquant de culpabilité, elle cache son visage dans le cou de sa mère.

Après un moment, la boule dans sa gorge disparaît.

Elle n'a rien raconté à sa mère de l'horreur que leur fait vivre Lana. Et pourtant, elle se sent réconfortée. Sa mère est si forte, si présente, si protectrice.

« Vraiment mienne ! » se dit-elle.

Elle reconnaît que si elle a pu passer tant de temps chez les Trahan, c'est parce qu'elle était certaine de l'amour de ses parents. Elle peut faire ce qu'elle veut. Elle est assurée de leur amour.

Et Lana…

Elle n'a jamais été aimée. Elle n'a pas reçu une seule molécule d'amour.

« Celle qui n'a pas grandi dans la sécurité de l'amour devient peu sûre d'elle. C'est dangereux d'être près de Lana. Elle est aussi dangereuse qu'un pont sur le point de s'écrouler. Parce qu'elle ne connaît pas l'amour. »

Soudain, Mélanie se souvient de quelque chose.

— Oh ! maman, tu as une réunion, ce soir ! dit-elle. On n'a même pas pensé au souper. Tu vas être en retard !

— C'est seulement une réunion. On avait besoin d'un bon moment ensemble. Ça ne nous était pas arrivé depuis trop longtemps.

Les yeux de Mélanie s'emplissent de larmes. Sa mère attendait de partager un bon moment avec elle et elle n'était jamais là.

— Tout finira par s'arranger, ne t'en fais pas, dit sa mère. Je suis peinée que ça soit fini avec Valérien. Je sais que tu l'as toujours aimé et à quel point tu dois être blessée. Mais tu t'en sortiras. Tu es ma fille forte. Tu y arriveras.

CHAPITRE 9

Mélanie est forte. Mais quand on est toute seule, c'est dur d'être forte.

Au bout de deux semaines pendant lesquelles elle a eu l'impression d'être rejetée comme un rebus qui n'est même pas digne d'être recyclé, elle va chez les Trahan après l'école, comme elle le faisait toujours avant. Elle a le courage d'agir ainsi uniquement parce qu'elle a vu Valérien emmener Lana dans la voiture de sa mère. Et que le véhicule n'est pas encore de retour. Il n'y aura que Thaïs et possiblement Burnouf, s'il n'a pas d'entraînement.

Elle ne cogne pas à la porte, mais entre comme elle l'a toujours fait.

— Bonjour, Thaïs, dit-elle timidement.

Celle-ci bondit du divan et se précipite vers Mélanie pour la prendre dans ses bras.

— Je suis tellement contente que tu sois venue ! s'écrie-t-elle.

Voilà l'accueil que Mélanie attendait. Ce qui, dans son cœur, restait glacé fond sur-le-champ.

— C'est tellement bizarre, explique Thaïs. Valérien ne parle à personne. Ni à moi ni à Burnouf ni à nos parents. Je suppose qu'il dépense toute son énergie avec Lana. Quand il rentre, il est vidé. Il s'assoit pour faire ses devoirs et reste là, sans lire, sans écrire. Maman et papa ne savent plus quoi penser. Tu ne le croiras jamais, mais ils s'imaginent qu'il est fou d'amour.

— Pour Lana?

— Pour Lana. Burnouf et moi, on a essayé de leur expliquer que la folle, c'est Lana; que la victime, c'est Valérien; et que tu es en danger. Mais tu connais les parents. Ils sont devenus impatients quand on a abordé le sujet du jeu du chat gelé. Valérien n'aimait pas ça non plus. Il ne nous appuyait même pas. Il regardait ses mains en disant qu'il ne savait pas de quoi on parlait.

« Il regardait ses mains! pense Mélanie. Est-ce que Lana lui a transmis son pouvoir?» Cette pensée horrible la fait frémir. Elle dit tout haut:

— Je n'ai même pas essayé d'expliquer à mes parents.

Elle va guetter par la fenêtre. Aucune voiture n'approche. Il ne faudrait pas que

Lana la voie chez les Trahan.

— Valérien l'a conduite à la bibliothèque, la rassure Thaïs.

— Elle étudie ?

— C'est ce qu'elle dit. Elle se colle à lui
comme une étoile de mer à un rocher.

— Comment peut-il la supporter ?

Mélanie, elle, ne peut pas supporter
l'idée que Valérien accepte la situation.
A-t-il trouvé en Lana une qualité qui rachète
ses défauts ? Si quelqu'un peut trouver du
bon dans un être maléfique, c'est bien un
Trahan. Dans cette famille, ils sont forts sur
le dorage de pilule.

Monsieur Trahan rentre du travail.

— Hé ! Bonjour, Méli-Mélo ! dit-il un
peu trop joyeusement. On ne t'a pas beaucoup vue dernièrement. Comment vas-tu ?

— Bien, répond Mélanie.

Que répondre d'autre à un adulte ?

— Je suis désolé que Valérien et toi vous
soyez séparés, dit-il.

— Ils ne se sont pas séparés, proteste
Thaïs. Lana oblige Valérien à sortir avec elle.

Monsieur Trahan n'a pas l'air de la croire.

— Lana est une verrue ! déclare Thaïs.

— Désolé que les événements aient pris
une telle tournure, mais la vie est ainsi faite
quand on est jeune. On tombe souvent
amoureux et avec des tas de gens différents.

Alors ne disons rien de déplaisant à propos de la petite amie de Valérien.

Thaïs lève les bras au ciel en disant :

— Au contraire, disons plein de choses déplaisantes à propos de la petite amie de Valérien. Et puis faisons-lui quelque chose de déplaisant.

Son père fronce les sourcils et quitte la pièce.

Mais Thaïs et Mélanie échangent un sourire de conspiratrices, d'alliées.

— Je reste à souper chez les Trahan, maman, dit Mélanie au téléphone. Et après, j'étudierai avec Thaïs. Je rentrerai vers vingt-deux heures, d'accord ?

— C'est tard pour un soir d'école. Pourquoi pas vingt et une heures ?

Mélanie n'est pas certaine de pouvoir tout faire d'ici vingt et une heures, mais elle répond qu'elle est d'accord.

La pensée de devoir traverser les cours sous la surveillance de Lana est si terrifiante que Mélanie en vient près de décider de partir immédiatement. Thaïs lui suggère de ramper. Pour celle-ci, c'est devenu une aventure excitante. Mais ce n'est pas elle qui a été gelée dans la cabine du camion. Elle n'a pas senti la neige s'accumuler sur ses yeux ouverts, ni le froid s'emparer de son cœur.

Dans la chambre de Thaïs, il y a un espace étroit entre le lit et le mur. C'est là que Mélanie étend le sac de couchage dans lequel elle a dormi si souvent. Elle s'y couche à l'abri des regards. L'après-midi s'assombrit. Thaïs soupe avec sa famille. Ils sont tous très bruyants, sauf Valérien. Des cinq personnes à table, seulement quatre parlent.

Mais il parlera plus tard.

Lorsque les parents iront regarder leurs émissions télévisées préférées et enverront leurs enfants faire leurs devoirs.

Ils feront leurs devoirs, mais il ne s'agira pas de travaux scolaires.

Mélanie reste cachée sous la fenêtre juste au cas où Lana patrouillerait dehors.

À vingt heures quinze, Thaïs entraîne son frère dans sa chambre.

— Assois-toi par terre, lui dit-elle en riant.

— Je suis fatigué ; je ne veux pas jouer, réplique-t-il. N'est-ce pas suffisant que j'aie à participer à ce jeu sans fin avec Lana ?

Mélanie rampe hors de sa cachette.

Valérien la regarde. Elle met un doigt sur ses lèvres.

Il s'affaisse d'une drôle de manière, comme s'il venait de trouver du secours.

— Oh ! Mélanie ! souffle-t-il.

Il ne dit rien d'autre, mais c'est suffisant.

Il s'assoit à côté d'elle et Thaïs fait de même, ce que Mélanie regrette. Mais la rencontre de ce soir doit servir à établir une stratégie, pas à passer un moment romantique.

— Qu'est-ce qui se passe ici ? demande Burnouf.

— Penche-toi ! chuchote Thaïs.

— Conseil de guerre ? demande son jeune frère.

Enchanté, il s'accroupit près d'eux.

Ils sont étendus tous les quatre, le menton sur leurs mains.

— Qu'est-ce qu'on va faire ? demande Thaïs.

— Ne me le demande pas, réplique Valérien.

— D'où vient le pouvoir de Lana ? demande sa sœur. Peut-être qu'on pourrait le couper de sa source.

— Je le lui ai demandé, dit Valérien en secouant la tête. Je me disais que je la gèlerais si je savais comment faire. Elle a promis de me faire une démonstration en gelant le prof de gym que je déteste.

— Formidable ! dit Burnouf.

— J'ai crié : « Non non non ! » et elle a dit : « Ne t'inquiète pas. C'est facile. Tout ce que j'ai à faire, c'est le toucher. Tu ne seras pas impliqué. Je ferai ça pour toi. » Comme si c'était une faveur.

— Mais Lana doit te toucher tout le temps et tu ne gèles pas.

— Elle me touche tout le temps, mais je ne la touche jamais. Ce n'est pas tellement dur si je reste tranquille et la laisse faire ce qu'elle veut.

Mélanie trouve ça dur pour elle. Mais cette réunion entre bons amis qui complotent ensemble, à l'abri des yeux délavés, lui remonte le moral.

— Je trouve plein d'excuses pour ne pas voir Lana chaque minute de la journée, explique Valérien. Je me sers des sports, des devoirs, du chœur, des examens, de la température, du gardiennage, de Thaïs, de Burnouf, de maman, de papa, de grand-maman.

— Grand-maman? s'exclame Thaïs.

— Je lui ai supposément écrit des centaines de lettres.

Mélanie éclate de rire. Le visage de Valérien s'éclaire d'un sourire. Oh! elle l'aime tant! Ensemble, ils vont se débarrasser de Lana.

— Mélanie, tu aurais dû assister au déjeuner ce matin, dit Thaïs. C'était tellement drôle. Maman dit à Valérien qu'il peut emprunter sa voiture. Et il refuse parce que la dernière chose dont il a envie, c'est d'être seul avec Lana encore une fois. Et maman lui demande s'il est malade ou s'il se drogue. Parce que, selon elle, il n'y a pas un seul gars de dix-sept ans normalement constitué qui refuserait qu'on lui prête une voiture. Et la seule excuse que mon stupide frère parvient à inventer, c'est que c'est difficile de trouver une place de stationnement.

Thaïs et Burnouf rient aux éclats. Valérien rougit. Mélanie pose sa main sur la sienne. C'est leur seul contact. Après si longtemps! Il semble tirer du réconfort au toucher de sa main, qui est bien différente de celles qui le touchent sans cesse ces dernières semaines.

— Je trouve que tu as donné assez, Valérien, dit Thaïs. Demain matin, tu devrais aller trouver Lana et lui dire que ça a été bien agréable, mais qu'il est temps pour toi de passer à autre chose.

— Après ce qu'elle a fait à Mélanie? demande Valérien d'un ton incrédule.

— Ça vaut la peine d'essayer, dit Thaïs.

— Elle va geler quelqu'un, dit Valérien en secouant la tête.

— On restera à distance.

— Elle vous courra après.

— Ne sois pas si peureux, dit sèchement Thaïs. Tu dois la ramener à la réalité. Sinon, ça n'en finira jamais.

À écouter Thaïs, ça semble si simple. Mélanie aimerait bien croire que Valérien peut tout simplement dire : « Lana, ça a été très agréable. Au plaisir. Revenons à une vie normale, maintenant. Ne gèle plus personne, O.K. ? »

— Tu as raison, je ne peux pas continuer comme ça, réplique Valérien en essayant de s'encourager en le disant tout haut.

Le lendemain matin, Mélanie hésite à sortir.

C'est le moment où Valérien va dire à Lana de le laisser tranquille, de les laisser tranquilles.

Se retournera-t-elle contre lui pour avoir manqué à sa promesse ? Contre Mélanie, pour être celle que Valérien désire ? Contre Thaïs pour avoir amorcé la révolte ?

« Ça n'ira pas ! se dit Mélanie. Il ne doit pas lui parler ! Lana ne le quittera pas tout bonnement en disant : "Oh bien ! ça valait la peine d'essayer ! Aie une belle vie sans moi, Valérien !". Elle va passer à l'attaque ! »

Mélanie se précipite vers le téléphone. Elle n'a composé que deux chiffres lorsqu'elle aperçoit ses trois amis qui sortent de chez eux. Valérien déverrouille les portières de la voiture de sa mère. Thaïs s'assoit à l'avant — à la place de Lana ! Burnouf fait le clown pour attirer l'attention.

Mélanie repose doucement le combiné.

Elle met son manteau, ses mitaines, son foulard, comme si les vêtements pouvaient la protéger du toucher maléfique de Lana.

Lana et elle sortent en même temps de chez elles.

Les jeunes Trahan les voient. C'est un test. Le jeu a atteint un autre niveau. Ils se regardent tous et, du seuil de sa porte, Mélanie sent les courants qui passent entre eux : la chaleur de l'amour, la froideur de la haine, la peur et le désir.

Personne d'autre ne s'en rend compte.

Un peu plus loin, des petits enfants attendent l'autobus scolaire, comme si de rien n'était. Ils jouent dans la neige en riant.

Lana Anctil passe au milieu d'eux, les doigts tendus.

Les enfants se figent, petites statues colorées dans la neige blanche.

— Non ! chuchote Thaïs, qui a déclenché la provocation. Non, s'il te plaît.

Lana s'arrête à mi-chemin entre ses statues et les Trahan. Directement en face de Mélanie. Celle-ci pourrait déjà être gelée. Elle est incapable de bouger et de penser.

— Bonjour, Valérien, dit Lana.

Il ne dit rien, sans doute aussi terrifié que l'est Mélanie.

— Ton cœur n'est pas libre, lui reproche Lana.

Il ne bronche toujours pas.

— Je veux ton cœur, Valérien ! déclare Lana.

Suit un épais silence.

Lana découvre les dents dans un rictus terrifiant qui se veut un sourire.

Les cinq petits enfants restent gelés dans la neige. Peut-être que leurs mères ne regardent pas par la fenêtre. Peut-être croient-elles que c'est un jeu.

Ça l'est.

Mais un jeu auquel personne ne devrait jamais jouer.

Le jeu du chat gelé.

« Non, pitié ! pense Mélanie. Pas les petits enfants. Tout ça parce que je voudrais être celle qui accompagne Valérien à la pizzeria ? Libère-les ! »

Valérien penche la tête au point qu'on dirait qu'il lui manque des vertèbres et qu'il a rapetissé. Il s'avance vers Lana d'un pas de vieillard perclus de rhumatisme. D'une voix faible, il dit :

— Lana, je te donne mon cœur !

CHAPITRE 10

— C'est bizarre, je n'ai pas vu Jason depuis très longtemps, dit monsieur Morin. D'habitude, je le vois au moins entrer ou sortir de chez lui. Mais pas dernièrement.

Mélanie et sa mère sont en train de choisir un film dans la liste publiée dans le journal. Une fois par mois, les Morin vont au cinéma le samedi soir.

Ça fait plusieurs semaines que Mélanie ne pense pas à Lana. Depuis que Valérien a dû se mettre à genoux pour supplier celle-ci de dégeler les petits enfants à l'arrêt de l'autobus, elle a décidé de ne plus y penser. Elle ne peut rien faire. Personne ne peut rien y faire. Tant que Lana possède Valérien, ils sont en sécurité.

«Lana, je te donne mon cœur!» a-t-il dit.

Lana a dansé légèrement parmi les enfants et ils sont tombés dans la neige.

Pendant un instant, ils ont paru prêts d'éclater en sanglots et d'appeler leur mère.

Mais l'autobus jaune est apparu au coin de la rue, alors ils se mis en file et ont commencé à se disputer pour savoir qui monterait le premier. S'ils gardent un souvenir des instants où ils étaient des statues de glace, ils n'en disent rien.

«Si je ne pense pas à Lana, je ne pense certainement pas à Jason», se dit Mélanie.

Cependant, elle ne peut s'empêcher de le faire. «Je veux ravoir Valérien, se dit-elle. Je vais voir un film avec mes parents pour regarder une actrice faire semblant d'être amoureuse d'un acteur. Il y a un mois, j'étais l'amoureuse. J'étais aimée. Et maintenant…»

— Ça m'inquiète, dit encore monsieur Morin.

Il fait le tour de la cuisine, désireux que ses femmes l'écoutent, fassent un commentaire, finissent ses phrases.

— Vas-y et parle-lui, suggère sa femme.

Mais monsieur Morin et le beau-père de Lana ne sont pas vraiment des amis. Ils se saluent de loin, lorsqu'ils nettoient leurs voitures au même moment. Ils se sont parlé une ou deux fois, en sirotant une bière, par un chaud après-midi d'été.

Jason n'a jamais fait partie de la vie du Chemin des Fougères.

Monsieur Morin va tirer les draperies du salon pour jeter un coup d'œil en diagonale à la maison de Jason.

— Voilà Lana, dit-il. Méli-Mélo, va lui demander ce qui se passe.

Quitter la sécurité de la maison?

S'approcher de Lana? Lui dire: «Lana, nous n'avons pas vu Jason dernièrement.»

— Qu'est-ce qui a bien pu lui arriver? demande calmement sa mère.

Mélanie peut facilement l'imaginer.

— Il est probablement en voyage, dit son père.

Mais l'emploi de Jason n'a jamais semblé exiger des absences de plusieurs jours. Et puis, il y a Lana. Laisserait-il une fille de quatorze ans toute seule si longtemps?

Bien sûr, c'est Lana.

Il n'est pas question d'une fille ordinaire.

Mais tout de même...

— Va demander à Lana, dit madame Morin.

Mélanie ne bouge pas.

— Je sais que tu lui en veux à cause de Valérien, dit son père d'un ton qui suggère que c'est mesquin de la part de Mélanie; que cet événement est tellement mineur qu'il peut à peine croire que sa fille a remarqué que son amoureux l'a laissée tomber. Mais je voudrais que tu ailles lui demander des nouvelles de son beau-père.

Mélanie n'apprécie pas certaines réalités qui nous échoient lorsqu'on grandit. Tout à coup, elle doit faire des choses difficiles qui, jusqu'alors, étaient prises en charge par ses parents.

— Va lui en demander toi-même, réplique-t-elle.

Son père soupire, hausse les épaules et va s'enfermer dans son bureau.

— Ton père ne te demande pas grand-chose, dit sévèrement sa mère. Ce n'est pas très aimable de lui refuser une requête si simple. Il s'inquiète pour son voisin et tu ne veux même pas te déranger pour qu'il ait l'esprit tranquille.

Tranquille? Depuis quand les réponses de Lana tranquillisent-elles l'esprit?

Mélanie descend bruyamment les marches recouvertes de moquette. Dans chaque maison du Chemin des Fougères, il y avait une moquette à longs poils orange ou avocat. La plupart des familles l'ont remplacée par une autre à poils courts de couleur champagne ou beige, comme on en voit dans les bureaux d'affaires.

Mélanie sort de chez elle. Lana est effectivement dehors.

Elle attend peut-être que Valérien vienne la prendre en voiture. Ou il vient peut-être de la déposer. Et elle reste là pour le regarder rentrer chez lui.

Mélanie traverse la pelouse où elle a joué autrefois avec les Trahan, il y a des centaines d'années semble-t-il. « C'était moi, se dit-elle. Du temps où je ne savais pas ce que Lana pouvait nous faire. »

Elle rassemble son courage et regarde Lana de l'autre côté de la rue. Fermement, sans flancher, parce que ce n'est pas une affaire personnelle, mais un ordre donné par ses parents. Ça ne compte pas.

Puis Lana est soudain près d'elle, si immatérielle que Mélanie se sent aussi lourde qu'un camion. Comment a-t-elle accompli ça ?

Les yeux blanchis au regard cruel sont posés sur elle.

Lana ricane.

C'est le ricanement qui ramène Mélanie à la réalité. Un « J'ai ce que tu veux ». Mais Mélanie est bien décidée à ne pas se laisser intimider.

— Bonjour, Lana, dit-elle.

Lana ne dit rien, évidemment.

— Mon père est inquiet, dit Mélanie. À propos de Jason.

Lana sourit.

— Il ne l'a pas vu depuis longtemps, finit Mélanie.

— Et toi non plus, hein ?

Lana passe, sous celui de sa voisine, son bras aussi dur que du métal.

— Il est temps que tu le voies, dit-elle doucement. Viens chez moi, Méli-Mélo.

Elle n'avait jamais utilisé le surnom de Mélanie jusque-là.

— Mon père veut juste savoir où il est, proteste Mélanie en luttant pour se libérer.

Mais Lana l'entraîne.

«Je ne veux pas entrer dans cette maison, se dit Mélanie. Je ne veux pas être seule avec Lana!»

— Tu ne seras pas seule avec moi, dit Lana qui semble toujours lire dans les pensées. Jason est là.

Elle escorte Mélanie jusqu'à la porte d'entrée, qui est identique à celles des autres maisons du Chemin des Fougères. Elle s'ouvre sur un rectangle de fausses tuiles. Quatre marches descendent au salon et à la porte du garage. Jason n'a pas changé la moquette dont le centre a été usé à force d'être piétiné. Lana conduit Mélanie en bas des marches. Celle-ci n'est jamais entrée dans ce salon dont, comme tous les autres, les hautes fenêtres laissent entrer si peu de lumière. C'est habituellement la pièce où les gens regardent la télévision et où ils conservent les jeux vidéo, les jouets délaissés et les tas de vieux magazines.

Y a-t-il tout ça chez Lana ?

Sa famille s'est-elle déjà réunie dans cette pièce ?

Lorsqu'ils voulaient s'amuser, ses parents s'en allaient en quatrième vitesse au volant de leur voiture.

C'est peut-être une pièce de confinement solitaire.

Mélanie frissonne.

Lana sourit.

La porte du garage est mince. Dans la plupart des maisons, cette porte a été remplacée. Pas celle-ci.

Lana l'ouvre.

Le garage est dans la noirceur la plus totale.

Lana allume et l'espace est inondé de lumière.

Jason est assis au volant de sa Corvette.

Il sourit.

Le moteur ne tourne pas. Mais Jason conduit. Le garage était plongé dans la noiceur et il y fait un froid du diable. Mais Jason conduit.

Lana lâche le bras de Mélanie.

Celle-ci s'avance lentement vers la voiture. Jason ne tourne pas les yeux vers elle. Il ne cesse pas de sourire ni de sembler conduire le véhicule immobile.

Coincée entre la portière et le mur du

garage, Mélanie se sent transpercée par le regard triomphant de Lana.

— Tu l'as gelé, dit-elle.

Lana hoche la tête.

— Mais… il est… ta seule famille.

— Non. Il est seulement Jason.

— Il ne méritait pas de … Quand est-ce que tu as fait ça ? Peux-tu encore le dégeler ?

— Ça fait trop longtemps, dit Lana en secouant la tête. Je suis surprise que personne ne se soit inquiété de lui avant maintenant.

Mélanie a déjà été dans l'état où se trouve Jason. Elle s'en souvient très bien. Elle connaît chacune des sensations que Jason a dû ressentir, puis ne plus ressentir à mesure que le froid s'emparait de lui.

Mais elle en est revenue.

Combien de temps Jason est-il resté conscient, comprenant avec horreur que le givre sur ses yeux et la froidure dans ses os seraient permanents ?

— Valérien l'a vu ? chuchote Mélanie.

— Oh oui ! s'exclame Lana en riant. Je l'ai obligé à s'asseoir à côté de Jason. Depuis, Valérien est très obéissant.

Prise d'un haut-le-cœur, Mélanie fait le tour de la Corvette.

— Ne vomis pas, c'est toi qui nettoierais les dégâts, la prévient Lana. Jason est bien comme ça. Ce n'est pas un grand changement dans sa personnalité, tu sais.

Elle se rapproche de Mélanie. Celle-ci n'a plus la force de lutter.

Encore une fois, la main de Lana se referme sur le bras de Mélanie sans qu'un désastre ne survienne. Celle-ci ne devient pas une statue de glace. Le sang continue à circuler dans ses veines et les pensées dans son cerveau.

Des pensées très terre à terre : « Comment Lana va-t-elle payer les factures d'électricité et d'épicerie ? Comment va-t-elle se tirer d'affaire tout l'hiver ? Les prochaines années ? »

— Je m'en tirerai, dit Lana. Si quelqu'un m'embête, tu sais ce qui lui arrivera.

Mélanie le sait.

— J'aimerais mieux que tu ne dises pas à ton père ce qui est vraiment arrivé à Jason, dit Lana. Parce que tu sais ce qui se passerait s'il devenait trop curieux.

CHAPITRE 11

La banquette de la cabine du camion est chaude. Le soleil de février brille depuis plusieurs jours.

Mélanie est assise d'un côté et Valérien de l'autre.

La distance entre eux pourrait se mesurer en centimètres ou en cœurs. Ils ne veulent pas se toucher. Ils n'en ont pas discuté. Ils pensent sans doute que Lana le saurait, qu'elle pourrait lire l'histoire de cet après-midi dans les yeux de Valérien.

Mais peut-être aussi que ce qui a déjà existé entre lui et Mélanie est devenu trop froid pour que le soleil puisse le réchauffer.

Mélanie s'intéresse de près aux motifs dans ses gants de laine, aux craquelures du tableau de bord.

— Il doit y avoir un moyen ! chuchote Valérien.

Lana est à cent kilomètres de là et il a tout de même l'impression qu'elle peut l'entendre.

« J'en ai l'impression, moi aussi, se dit Mélanie. J'ai peur de ce qui se passera quand elle viendra ici ce soir. Je laisserai mon reflet sur Valérien et, pour elle, ce sera aussi éclatant que le rayon lumineux d'une lampe de poche dans le noir. Alors, elle aura envie de blesser l'un de nous. Ce terrible désir retrouvera sa place dans ses paroles et dans son cœur. Si elle a un cœur. »

— Il faut un revirement, dit passionnément Valérien. Une arme qu'on peut retourner contre elle !

« Oh ! ce que j'ai hâte que ce soit fini ! pense Mélanie. Mais qu'est-ce qu'on peut retourner contre une fille qui possède un pouvoir comme celui de Lana ? »

Cependant, même Lana doit obéir à certaines règles. Sa classe d'histoire est allée à Ottawa visiter le Parlement et ne rentrera que tard. Mélanie consulte constamment sa montre. La direction de l'école n'a pas précisé l'heure de retour. Et si Lana les surprenait ensemble ?

Que ferait-elle ?

— Une technique, poursuit Valérien. Un moyen de la détruire.

Il l'a dit avec l'acharnement que mettrait

un pit-bull à déchiqueter quelqu'un.

Mélanie ne le trouve pas très beau lorsqu'il crache ces mots. Ça le rend laid et mesquin. Il ne voit pas son regard. Il est obsédé par l'image de sa voisine, Lana Anctil, détruite sous ses yeux.

«Je ne veux pas détruire un être humain, se dit Mélanie. Même pas Lana. Même pas après ce qu'elle a fait. Je ne veux pas détruire.»

— On ne pourrait pas la soigner? demande-t-elle.

— Il n'y a pas de remède contre le Mal. C'est toi qu'elle allait laisser gelée. Elle riait, alors que tu allais mourir de froid dans la neige! C'est toi qu'elle déteste le plus, parce que tu as tout!

Aux oreilles horrifiées de Mélanie, Valérien parle avec autant de haine que Lana. Comme s'il détestait Mélanie, lui aussi, et toutes les vraies familles et le monde entier. Sa bouche est affreuse. Tordue et hargneuse. Son doux Valérien! Elle détourne les yeux.

— Tu devrais être la première à vouloir sa mort! dit-il.

«Mais je ne le veux pas, pense-t-elle. Je veux être la première à sauver les gens, pas à les détruire!»

Elle essaie de l'expliquer à Valérien, mais il ne l'écoute pas. Il déverse jurons et imprécations. Dans l'espace réduit entre le pare-brise craquelé et le dossier défoncé, ses mots haineux résonnent. Mélanie respire la douleur et la laideur avec l'oxygène.

— Tu crois que tu peux lui apprendre à devenir douce et à pardonner ? questionne Valérien.

Sa colère est aussi terrifiante que celle de Lana.

Mélanie frémit.

— On lui a donné l'exemple toute notre vie, poursuit-il. Nos deux familles sont généreuses. Lana n'en a rien retiré, crois-moi. Une fille capable de geler sa propre mère ! De geler un chien ! Ma sœur ! De te geler ! De geler Jason et de le conserver comme un trophée !

Valérien change d'humeur tout à coup. Sa colère tombe et il devient contemplatif. Tambourinant le tableau de bord, il fronce les sourcils à la manière d'un enseignant cherchant à expliquer un nouveau concept.

Il est de nouveau très beau et pourtant Mélanie a peur de lui. « Est-ce que je le mets dans le même sac que Lana ? »

Elle a peur du camion aussi, de ses poignées brisées, de ses portières qui ne s'ouvrent pas. La masse imposante de Valérien bloque sa seule issue. Mélanie se force à rester calme.

— Lana doit être détruite, dit Valérien d'une voix sans émotion.

Mélanie observe les nuances du coucher de soleil. L'astre représente la vérité, la beauté et la bonté. Peut-être que tout ce qui manque, c'est d'ouvrir une porte.

Le jour où Lana a gelé les enfants.

Les filles se rappellent d'en avoir parlé. Les garçons ne se souviennent même pas de quoi il était question. Si elle voulait citer à Valérien ses propres paroles, il aurait un blanc de mémoire. « J'ai dit ça ? s'étonnerait-il. Non, je n'ai jamais dit ça, Mélanie. »

« Ton cœur n'est pas libre, Valérien, avait dit Lana. Je veux ton cœur. » Et il avait répliqué : « Lana, je te donne mon cœur. »

« Elle possède vraiment son cœur », pense Mélanie. Telle un grotesque virus, l'horreur saisit son innocence et la fait voler en éclats.

« Lana possède le cœur de Valérien. Voilà pourquoi je ne veux pas le toucher. Elle a prise sur le cœur de Valérien. Nous sommes seuls dans le camion, et pourtant les doigts de Lana sont serrés autour de son cœur. »

Même la voix de Valérien est devenue semblable à celle de Lana. Elles sont mornes toutes les deux, parce que l'amour et la générosité en ont été extirpés.

Pas de doute qu'ayant décidé qu'elle en avait assez de sa mère, Lana s'est dit : « Elle doit être détruite. »

— Valérien, dit Mélanie. As-tu entendu ce que tu disais ? « Lana doit être détruite. » C'est une pensée mauvaise. Ça signifie tuer Lana.

Il ne la regarde pas. Une sombre ardeur s'écoule de lui, comme un liquide empoisonné.

— Exactement, dit-il.

Il partage également son désir. L'affreux désir d'infliger de la souffrance.

« Oh ! Lana ! Rends-moi son cœur ! pense Mélanie. Son cœur doux et bon, tu l'as complètement transformé. »

Elle voudrait désinfecter Valérien de l'influence de Lana. On faisait ça dans les temps anciens. On exorcisait les gens du démon. Lors des anciens rituels, les prêtres et les sorciers pénétraient jusqu'à l'âme du malade et en extirpaient le mal. Le possédé sortait de l'épreuve épuisé, mais propre.

« Valérien est sali par Lana », se dit Mélanie.

— Hier soir, j'ai réellement songé à foncer droit dans un mur de béton, déclare Valérien. Lana ne met pas sa ceinture de sécurité.

— Mais tu te serais tué !

— Oui, on serait morts tous les deux.

— Ne fais pas ça, Valérien. N'y pense même pas. On ne détruira personne. Ni Lana ni toi.

— Alors quand est-ce que ça finira, Mélanie ?

Il parle d'une voix raisonnable, comme s'il discutait d'un problème de mathématiques.

— Jusqu'où Lana va-t-elle nous entraîner ? poursuit-il. Est-ce qu'elle continuera de nous menacer quand on aura vingt ans, trente ans, cinquante ans, et quand on sera vieux ? Est-ce qu'elle continuera à geler ceux qui l'embêtent ? Est-ce qu'elle gâchera toute notre vie ?

Mélanie ne peut pas rester dans le camion une minute de plus. C'est trop symbolique. Valérien est amoché, comme la carrosserie rouillée.

— Rentrons, dit-elle.

Sa propre voix est devenue morne. Toute la musicalité en est disparue. Dorénavant, il n'y aura plus de mélodie ni d'harmonie. Uniquement, l'absence de cœur de Lana... et de Valérien.

Celui-ci sort du camion. Mélanie se glisse sur la banquette et sort à son tour, posant ses deux pieds sur le sol. Elle se sent mieux une fois debout. Elle est reliée à la bonté existant dans le monde. Elle se dirige vers le haut de la colline, tandis que Valérien ouvre et ferme les portières, examine leurs vitres. Comme si le camion avait de l'importance. Comme si quoi que ce soit avait de l'importance, alors qu'un gentil garçon discute sans le plus léger remords de la destruction d'un autre être humain.

Lorsqu'il la rejoint, il dit d'un ton sincèrement étonné :

— Je ne vois pas où est le problème, Méli-Mélo. Pense à Jason dans le garage ! Pourquoi est-ce que ça te dérange que Lana soit détruite, alors que tu sais ce qu'elle fait pour son plaisir ?

— C'est Lana. Elle a l'esprit tordu et dérangé. Mais pas nous ! On ne peut pas agir en criminels uniquement parce qu'elle le fait !

— Calme-toi, Méli-Mélo.

Elle ne supporte pas qu'il abuse ainsi de son surnom. Méli-Mélo était une petite fille bouclée qui aimait les goûters et les gros câlins. Un surnom pour l'innocence et les rires, pas pour un assassinat.

Valérien continue à discuter de la meilleure façon d'éliminer Lana lorsqu'ils atteignent la maison.

Son frère et sa sœur regardent un film : James Bond lutte contre le Mal. Il le vaincra, évidemment. Dans les films, le Bien triomphe toujours du Mal. Et toujours astucieusement, en conduisant de superbes voitures et en utilisant les gadgets électroniques les plus sophistiqués.

Mélanie ne se sent pas astucieuse. Elle se sent profondément et absolument déprimée, tout autant que profondément et absolument incapable de stopper la propagation du Mal qui habite Lana.

Se laissant choir dans un fauteuil, Valérien explique :

— Je pourrais proposer à Lana de lui apprendre à conduire. Et la laisser aller seule après avoir trafiqué la voiture qu'elle conduira. Ce serait le summum de l'ironie puisqu'elle a tué sa mère dans une voiture. Ce serait juste qu'elle meure dans une voiture. Vous ne trouvez pas ?

— Valérien ! Tu ne peux pas avoir placé un meurtre en premier sur ta liste ! s'indigne Mélanie.

— Ce n'est pas un meurtre, c'est l'élimination de Lana, dit Valérien, légèrement surpris par sa réaction.

Le salon se divise en deux zones de températures différentes. Il y a le côté amical et chaleureux où sont assis Thaïs et Burnouf. Et le côté glacial et haineux où est assis Valérien.

Mélanie se tient au milieu de la pièce, la méchanceté des projets de Valérien la frappant d'un côté, la douceur étonnée de Thaïs et Burnouf la réchauffant de l'autre.

— Valérien?

Celui-ci ne tourne même pas la tête vers son petit frère. Il est tout entier absorbé par le rêve dans lequel il fait à Lana tout ce que se font les personnages de dessins animés du samedi matin. Ils s'écrapoutissent, se poussent en bas des falaises, jettent des bâtons de dynamite dans la cheminée de l'autre.

Mélanie comprend alors qu'elle est vraiment devenue une ex-amoureuse.

Il n'y a pas de retour en arrière possible.

Ce n'est pas Valérien, son Trahan préféré. C'est un étranger prêt à trancher une autre vie aussi facilement qu'il trancherait une portion de melon.

— Et puis…, dit-il avidement.

Thaïs se met à pleurer, mais il ne voit pas ses larmes. Ses lèvres forment un sourire, dans lequel Mélanie reconnaît Lana aussi nettement que si celle-ci avait élu domicile à l'intérieur de Valérien.

— Ou un autre moyen serait de…, dit-il avec excitation.

Burnouf examine ses ongles, à la manière d'un garçon, c'est-à-dire en fermant son poing et en le tournant paume en l'air. Les filles étendent leurs doigts en éventail et les tiennent à distance.

Mélanie rentre chez elle.

Elle ne supporterait pas d'avoir un ennui supplémentaire.

Elle reste éveillée pendant très long-temps. Une ou deux fois, elle se lève et va regarder par une fenêtre d'où elle peut voir la maison de Lana, et pense aux deux êtres qui y vivent : celle qui y respire et celui qui ne respire plus. Une ou deux fois, elle se lève et va regarder par une fenêtre d'où elle peut voir la maison des Trahan, et pense aux êtres qui y vivent : les amis qu'elle comprend encore et celui qu'elle a perdu.

Et elle se lève une fois de plus, puis très très silencieusement, elle va ouvrir la porte à l'autre bout du couloir et regarde ses parents endormis. « En vérité, je reçois beaucoup d'amour, se dit-elle. J'ai vu maintenant ce que c'est que de ne pas être aimée et je sais pourquoi Lana est jalouse.

J'ai vraiment tout. »

À l'école, le lendemain, Mélanie invite Lana à s'asseoir avec elle.

— Qu'est-ce que tu me veux ? demande celle-ci lorsqu'elles sont seules.

— Je veux seulement parler.

— Personne ne veut parler avec moi, dit Lana en secouant la tête. Tu as une faveur à me demander. Dis-moi ce que c'est.

Ses yeux, tels des robinets, laissent passer le froid et le chaud, alternativement. Mélanie ne peut ni regarder Lana dans les yeux ni détourner le regard. Elle ne peut pas continuer à être à la fois courtoise et menteuse.

— Je veux parler de Valérien, murmure-t-elle.

Ses lèvres ne remuent pas facilement. Comment Lana gèle-t-elle ? Elle a même gelé le courage de Mélanie et pourtant celle-ci en était pleine en quittant sa maison ce matin.

— Oh ? dit Lana.

— Je m'inquiète pour lui.

— Oh ?

— Tu l'as rendu si froid !

— Oui, son cœur est plus froid, acquiesce Lana en souriant.

Mélanie se penche en avant, ployant sous le poids de ses inquiétudes. Ses épaules s'affaissent, ses muscles s'avachissent, ses bras mollissent.

« Un cœur de pierre. »

C'est une de ces expressions qu'utilisent facilement les gens, sans savoir exactement ce que ça signifie. Mélanie le sait. Elle connaît deux cœurs de pierre.

Et qu'est-ce qu'un cœur de pierre ?

Un cœur sans amour. Sans compassion.

Un cœur dur et impitoyable qui ne se

préoccupe pas des autres. Un cœur qui ne s'en fait pas si un innocent est frappé uniquement parce qu'il se trouvait là par hasard.

Le cœur et l'âme sont si proches ! Si entrelacés. Quelle sorte d'âme peut bien posséder celui qui a un cœur de pierre ?

« Peut-être pas d'âme du tout, se dit Mélanie. Peut-être que le cœur de pierre force l'âme à s'en aller. »

— L'as-tu touché pour lui faire ça ? chuchote-t-elle.

— Je n'ai pas eu à le toucher, répond Lana. Je n'ai qu'à lui tenir compagnie et à lui donner l'exemple. Valérien est un bon disciple.

Mélanie pleure. Elle verse des larmes glacées qui lui piquent la peau.

Qu'est-ce qui pourrait faire fondre le cœur de Lana Anctil ? Qu'est-ce qui pourrait délivrer le cœur de Valérien Trahan ?

— Tu l'as gelé, dit-elle à travers ses sanglots.

— Oui, dit Lana en gloussant. Il est à moi !

CHAPITRE 12

Le soleil est une bénédiction.

Le matin est une bénédiction.

L'angoisse est moindre et la peur diminue dans l'éclat d'or du soleil matinal.

Mélanie est reposée. Elle s'habille dans un coin de sa chambre où un rayon de soleil dessine un carré chaud sur le plancher. « Si seulement je pouvais le ramasser et l'emporter avec moi, se dit-elle. Me baigner dedans toute la journée. »

Mais elle ne lève pas le store pour faire entrer plus de soleil dans la pièce, car la maison de Lana est aussi située à l'est.

« Il y a moyen de s'en sortir », pense-t-elle. Puis elle le répète tout haut pour y trouver du réconfort :

— Il y a moyen de s'en sortir !

« Si un cœur froid a gelé l'âme de Valérien, il me suffira de le réchauffer. Peut-être qu'il peut être dégelé. » C'est un mot qui appartient au domaine de la réfrigération. «Je suis sans doute la seule fille en Amérique du Nord qui doit dégeler son amoureux.»

Ça la fait rire. Il ne lui reste qu'à trouver le moyen de faire rire Valérien aussi gaiement. Comment dégeler son cœur et trouver son âme, l'arracher à l'influence de Lana et sauver le reste du monde ?

Dans le rayon de soleil, elle croit être celle qui peut le faire.

Et heureusement, le soleil brille toute la journée. Les classes du matin sont du côté est ; celle de l'après-midi, du côté ouest. Mélanie ne perd pas le carré de soleil. Et donc après l'école, elle va chercher de l'aide. Elle choisit son professeure d'histoire, qu'elle adore et qui semble avoir tant de réponses ! La dame connaît les dates et les guerres, les premiers ministres et les anciens ennemis. Elle connaît les rivières et les traités, les batailles et les rois.

— Supposons que l'âme de quelqu'un soit gelée, comment lui apprendriez-vous à aimer de nouveau ? lui demande Mélanie.

— L'humanité essaie d'enseigner l'amour aux âmes gelées depuis des milliers d'années, répond l'enseignante. C'est la moitié de la matière des religions et des philosophies.

Ne voulant pas perdre son temps à étudier chaque religion et chaque système philosophique, Mélanie demande :

— Qui a raison ?

— L'humanité a déclenché des centaines de guerres en essayant de décider qui a raison. Les humains ont lynché leurs voisins, dépossédé leurs enfants, et bâti un millier d'édifices sacrés.

Ce n'est pas le genre de détails qui intéressent Mélanie en ce moment.

— Je comprends mais, d'après vous, qui a raison ?

— Tout le monde.

Mélanie jette un regard irrité à son enseignante.

— Vous n'accepteriez pas une réponse pareille dans un examen, proteste-t-elle. Vous me diriez : « Sois plus précise. »

— La vie n'est pas un examen.

— Me prenez-vous au sérieux ? J'ai vraiment besoin d'avoir une réponse à cette question : « Qui a raison ? »

— Et je t'ai dit : tout le monde. L'amour a raison. Dans toutes les langues, toutes les histoires, toutes les religions, si tu aimes ton voisin, si ton cœur est généreux, si tu pratiques la pitié et agis avec justice, alors tu as raison.

« Si tu aimes ton voisin. »

« Eh bien, j'ai deux voisins : Lana et Valérien, se dit Mélanie.

« Est-ce que ça veut dire que je dois aimer Lana ? Alors, c'est que je dois aimer le Mal. Parce que Lana est le Mal. C'est un poison s'écoulant d'un bidon abandonné dans la réserve d'eau, et personne ne s'en aperçoit jusqu'à ce que tous les enfants du voisinage aient le cancer. Comment pourrais-je aimer ça ?

« J'ai toujours aimé Valérien. Je l'ai aimé toute ma vie et surtout cette année. Et qu'est-ce que ça me donne ?

« Un cœur froid dans les mains d'une autre.

« Pratique la pitié et agis avec justice.

« De la pitié envers qui ? Les futures victimes de Lana ? Lana ? Moi-même ?

« Et qu'est-ce que la justice ? Faire ce que veut Valérien ? Détruire Lana Anctil ? »

Elle est venue chercher des réponses et son enseignante semble croire qu'elles lui ont été données. Celle-ci sourit joyeusement en rangeant dans sa serviette des devoirs à corriger.

Pour Mélanie, ce ne sont pas des réponses, mais encore plus de questions.

Elle quitte l'école. Le soleil brille toujours. Le carré doré est toujours à ses pieds, mais elle n'a absolument rien appris.

Maintenant, que faire ?

CHAPITRE 13

Lorsque le soleil se couche, la neige commence à tomber. Des nuages aussi épais que des continents s'approchent, lugubres et meurtris. De ces masses aux teintes douloureuses s'échappe une neige incroyablement blanche. Rien ne peut être plus blanc, plus pur, plus parfait.

L'hiver reprend de plus belle en un bref après-midi.

Il n'y a jamais eu autant de neige sur le Chemin des Fougères. Elle s'accumule à hauteur de taille. Les pneus font un tout nouveau son sur la route.

C'est vendredi. Les règlements s'appliquant aux soirs d'école sont suspendus.

Mais aucun enfant ne joue dans la neige. Aucune famille n'allume la lumière du porche ou du garage pour sortir faire un bonhomme de neige. Aucune balle de neige n'a été formée, aucun fort construit ni aucun ange imprimé. Personne n'a cassé de glaçons du toit pour s'en faire une corne de licorne. Personne n'a recueilli un plat de la neige la plus blanche et n'y a versé du sirop d'érable chaud pour fabriquer un bonbon instantané.

Pour une nouvelle génération, les jeux dans la cour sont finis.

Ces enfants qui ont été gelés comme du linge sur une corde l'hiver — ils s'en rappellent.

Ils sont restés conscients, à l'intérieur de leur corps immobile. Ils ont su. Ils ont senti le bout des doigts de Lana.

Ils restent à la maison.

Ils resteront toujours à la maison.

Mélanie est la seule qui sort dans la neige. Et c'est uniquement parce qu'elle a aperçu Valérien dans la voiture de sa mère s'arrêter pour prendre Lana en passant et s'éloigner avec elle. «Conduis prudemment, a-t-elle pensé en regardant le véhicule disparaître au loin. Ne fais rien de mal. Rentre sain et sauf!»

Elle s'avance dans les énormes amas de neige.

— Méli-Mélo! s'écrie joyeusement Thaïs. Entre! On gèle dehors! Tu es vraiment brave! J'hiberne avec Burnouf jusqu'au printemps.

Mélanie rejoint ses amis au salon.

— Vos parents ne sont pas là?

— Non. Ils prennent des cours de danse carrée. Tu devrais les voir. Papa porte une chemise de cow-boy et maman, une jupe rouge avec des crinolines.

Mélanie regrette de ne pas les avoir vus. Ça devait être drôle. Elle sourit en imaginant le couple costumé.

— C'est parfait qu'ils soient partis. On a des décisions à prendre, dit Thaïs.

Burnouf hoche la tête et s'assoit au bord du divan.

— D'abord, il faut comprendre si Valérien tient vraiment à elle, dit-il.

« C'est reparti, pense Mélanie. On ne peut pas oublier Lana. »

— Quand Valérien embrasse Lana, ça a l'air sincère, dit Burnouf. Est-ce qu'il est un bon acteur? Ou s'il l'aime vraiment?

— Au début, il faisait semblant, mais je crois que c'est devenu sincère, dit Thaïs. C'est le danger de jouer si bien; on oublie que c'est juste un jeu. Ça nous entre dans le système.

Elle se lève et annonce:

— Je vais faire du maïs soufflé.

— Ce n'est pas juste un jeu, dit Burnouf, mais Lana l'a battu. Il est en train de devenir aussi frustré et dérangé qu'elle.

Thaïs apporte le maïs et leurs trois mains

plongent ensemble dans le bol. Manger aide à réfléchir.

— Je dois continuer à croire que le Bien est plus fort que le Mal, dit Mélanie. Que ça va finir par s'arranger.

— Ça ne s'arrangera pas, dit Thaïs.

— J'ai vu Jason, annonce Burnouf en s'emplissant la bouche de maïs.

— Il n'y a plus rien à faire pour lui, dit Thaïs. Et probablement pour Valérien non plus. Mais on doit se protéger.

Mélanie cesse de manger.

— Alors la question est : « Comment détruire Lana ? », dit Burnouf en frottant un grain de maïs sur le bord du bol pour ramasser du beurre.

La froidure s'empare de nouveau du cœur de Mélanie. Un autre gentil Trahan vient de proposer de «détruire» Lana.

— Je me demande si elle peut se geler elle-même, dit Thaïs. On pourrait jouer au chat gelé et s'arranger pour qu'elle se touche elle-même.

— Si ça pouvait arriver, elle l'aurait fait en se peignant ou en se mettant du rouge à lèvres, dit Burnouf.

— J'ai soif, déclare Thaïs. Méli-Mélo, tu veux boire quelque chose ? Il y a du *Coke*, du cidre, du chocolat au lait… Il vaudrait mieux aller voir dans le frigo.

Les trois jeunes se rendent à la cuisine. Tandis qu'ils se décident sur ce qu'ils vont boire, Mélanie dit :

— Je pourrais me sacrifier. Je dirais : « Voilà ! Gèle-moi. Je suis à toi. Ne fais pas de mal aux gens qui ne t'ont rien fait. »

— Elle te gèlerait et t'abandonnerait, avant de passer à sa prochaine victime, dit Burnouf. Tu n'accomplirais rien en faisant ça, sauf rejoindre Jennifer à l'hôpital.

— Je croyais que Lana l'avait dégelée.

— C'est Jessica qu'elle avait dégelée.

— Et qu'est-ce que Jennifer lui a fait ?

— Elle n'était pas assez amicale, je suppose.

— Je sais ! s'écrie Thaïs. On pourrait enfermer Lana quelque part.

— Tu possèdes une prison, peut-être ? demande Burnouf en haussant les épaules.

Il allume la télévision. C'est sa réponse habituelle aux difficultés de la vie.

Des devoirs trop difficiles ? Il regarde la télé.

Une famille trop embêtante ? Il regarde la télé.

Lana est trop effrayante ? Il regarde la télé.

Ça n'a pas grand rapport avec la réponse de la prof d'histoire : pitié et justice.

Thaïs et Mélanie regardent l'écran malgré elles. Il est difficile d'être assise devant une télévision sans avoir l'esprit accaparé par ce qu'on y voit. Les familles dépeintes dans les émissions sont tellement vieux jeu et superficielles. Comment peut-on rire si fort et si souvent?

«On riait beaucoup, avant de connaître Lana Anctil», se souvient Mélanie.

Sous ses pieds, elle sent s'ouvrir et claquer la porte du garage automatique, rarement utilisée. Elle entend le grondement d'un moteur de voiture et son arrêt soudain. Elle entend le bruit d'une portière qui se referme. «Valérien est rentré», se dit-elle.

Puis une deuxième portière.

— Lana est avec lui, dit Thaïs.

Burnouf monte le volume de la télévision. Ça peut être une défense ou un camouflage. Il s'enveloppe dans le bruit des rires en boîte, protégé ainsi de Lana.

Des pas montent l'escalier. Valérien et Lana entrent.

La grand-mère de Mélanie disait souvent une phrase toute faite: «Parlez du diable et il apparaît.»

Ils parlaient de Lana et la voilà qui apparaît.

Personne ne fait de salutations.

Burnouf garde le regard rivé à l'écran de télévision. Thaïs garde le regard rivé sur le bol de maïs soufflé. Valérien garde le regard rivé sur ses chaussures. Mélanie s'exerce à plier les doigts.

Lana ricane.

C'est un bruit si inapproprié que Mélanie la regarde. Elle surprend son expression : Lana est nerveuse.

« Parce qu'on ne l'aime pas, pense Mélanie, étonnée de déceler en celle-ci une lueur d'humanité. Lana veut être populaire, comme nous tous. On a peur d'elle et on l'évite, ce qui la rend nerveuse ! »

Valérien et Lana s'assoient sur le divan qui fait face à celui où sont assises Thaïs et Mélanie. « Heureusement qu'il y a deux divans, pense cette dernière. Ce serait étrange d'avoir à s'asseoir les uns à côté des autres. »

— Baisse le volume ! ordonne Lana.

Burnouf ne fait pas semblant qu'il ne l'entend pas ; il obéit. Il ne baisse pas le volume petit à petit pour user la patience de Lana. Il n'a pas du tout envie de voir le doigt de celle-ci s'avancer vers lui.

À l'écran, les comédiens continuent à parler et à rire, mais on les entend à peine. Ils pourraient aussi bien être devenus des fantômes dont la présence ne serait que partielle.

Lana sourit.

Valérien détourne le regard.

— Du maïs? offre joyeusement Thaïs.

— On a mangé, répond Valérien.

Ils restent donc assis, attendant que Lana s'en aille, attendant que la torture prenne fin. Mais Lana, qui aime torturer, ne s'en ira pas de sitôt.

— Oh! dit soudain Burnouf.

Tous les regards se tournent vers lui.

Il a le regard pétillant de quelqu'un qui vient d'avoir une idée brillante.

— Lana! dit-il.

Elle lève les sourcils.

— Je sais ce qu'on va faire! Pourquoi est-ce qu'on ne sortirait pas ensemble, toi et moi? explique-t-il. Je serais ton amoureux. Et comme ça, Mélanie pourrait encore être avec Valérien.

Mélanie est si touchée qu'elle a envie de pleurer: Burnouf s'offre en échange.

Lana pouffe de rire.

— Toi? dit-elle. Tu es un petit garçon! Tu n'as que onze ans! Vis ta vie. Tu es si pathétique, Burnouf.

— C'est toi qui es pathétique! crie-t-il. Tu sais parfaitement bien que pas un garçon ne voudrait sortir avec toi parce qu'il en a envie! Tu dois les menacer de geler quelqu'un pour les obliger à s'asseoir dans la même pièce que toi. Tu gardes Jason gelé dans son auto pour faire peur à tout le monde juste pour qu'on te reconduise à l'école en voiture !

— Valérien a promis de m'aimer le mieux, dit Lana défensivement. Et il le fait.

— Il ne t'aime pas ! crie Thaïs. Il te déteste ! C'est Mélanie qu'il aime !

« Je ne peux plus le supporter, se dit Mélanie. Je ne peux pas continuer comme ça. Je dois changer. Il faut que je commence une nouvelle vie avec d'autres amis. »

Elle regarde les trois Trahan comme si c'était la dernière fois. Elle pense à l'école et à tous les élèves qu'elle y connaît, songeant à chercher parmi eux pour trouver un ami. Elle se dit qu'elle doit tout recommencer du début.

— Est-ce que tu aimes vraiment Mélanie ? demande Lana à Valérien d'une voix glacée.

Elle tient ses mains écartées, à la manière d'un policier à qui sa matraque et son étui de revolver donnent une drôle d'allure. Mais elle n'a besoin ni d'un revolver ni d'une matraque. Un doigt lui suffit.

— Bien sûr que non, répond Valérien.

Il met ses bras autour de Lana qui disparaît sous son étreinte. Puis il embrasse ses cheveux secs.

— Comme c'est romantique, se moque Burnouf. Tu dois avoir l'impression d'embrasser un tas de foin.

Valérien ne réplique rien. Il ne regarde pas Mélanie dont il a déjà tant aimé caresser les cheveux. «Me protège-t-il? se demande-t-elle. Ou m'a-t-il oubliée?»

— Va mettre des vêtements plus chauds, dit-il à Lana. On va aller patiner. C'est vendredi. La patinoire est ouverte jusqu'à minuit.

— Je ne sais pas très bien patiner, dit timidement Lana, d'un ton qui se veut séduisant.

— Je te soutiendrai, dit Valérien en souriant.

Mélanie en a le cœur brisé.

«Je te soutiendrai.» N'est-ce pas ce que nous voulons tous entendre? «Oui, c'est ce que nous voulons tous, pense Mélanie. Que quelqu'un nous soutienne quand on a peur de tomber.»

«Oh! comme je veux le ravoir! Rends-moi Valérien! On se soutenait tous les deux. On était un couple. Un couple parfait.»

Elle est épuisée. «Je rentre chez moi, se dit-elle. Il n'y a aucune raison pour moi de revenir ici. Je dois garder mes distances et recommencer ma vie. Par moi-même.»

Mais, silencieusement et apparemment sans bouger, Lana sort de chez les Trahan avant elle. Les disparitions de Lana font toujours frissonner Mélanie.

— Ne me touche plus jamais, Mélanie, déclare Valérien d'où il est assis.

Elle en tombe presque à la renverse. Il n'a pas besoin de dire ça! Il pourrait la laisser tranquille, ne pas la poignarder avec des mots pareils!

— Lana le sait quand on se rencontre, dit-il d'une voix sans timbre. Elle m'a donné son pouvoir. Si je touche quelqu'un d'autre qu'elle, il gèlera.

Valérien quitte la pièce pour sortir de nouveau la voiture, aller de nouveau chercher Lana et continuer sans espoir sa demi-vie.

Burnouf surveille le départ de son frère.

Thaïs surveille le départ de son frère.

Mélanie est incapable de surveiller le Valérien qui ne lui appartiendra plus jamais, alors elle regarde Thaïs.

Une étrange lueur illumine le visage de son amie.

Une expression calculatrice et cruelle tout à la fois.

Mélanie détourne le regard. Lorsqu'elle le pose à nouveau sur le visage de Thaïs, l'expression a disparu et elle se convainc qu'elle l'a imaginée. La douce Thaïs des soirs d'été ne pourrait pas avoir ce visage-là.

C'était le visage d'un être au cœur de pierre.

À l'âme gelée.

CHAPITRE 14

La neige tombe durant des jours.

Ils n'ont jamais connu un temps pareil. Le ciel ne change jamais, ne redevient pas clair et bleu. Il laisse tomber sans cesse plus de neige. L'école est fermée parce que les déneigeuses ne suffisent pas à la tâche et qu'il ne reste plus de place où pousser la neige. Les rues deviennent étroites, bordées de part et d'autre de montagnes de neige.

Ça ne dérange pas Burnouf qui peut regarder la télévision durant des heures. Thaïs subit une «rage de cuisiner». Elle fait de vrais biscuits maison qu'elle découpe en forme de cœur et décore avec des pépites de chocolat et du glaçage rouge.

Elle appelle Mélanie pour lui emprunter des coupoirs à biscuits parce qu'il lui reste beaucoup de pâte.

Madame Morin en a reçu jadis et ne s'en

est jamais servi.

« Voilà comment je me fais de nouveaux amis », se dit Mélanie avec ironie. Elle revêt plusieurs épaisseurs de vêtements pour se protéger du froid et traverse péniblement les tas de neige jusque chez les Trahan. Thaïs et elle roulent la pâte tout en discutant à savoir si, en février, on peut utiliser des formes de sapin de Noël et de père Noël.

On sonne à la porte d'entrée.

Thaïs va ouvrir.

— Bonjour, dit Lana.

Une salutation normale, comme le ferait une personne normale.

Mélanie se cache dans un coin de la cuisine, d'où Lana ne pourra pas l'apercevoir si elle entre.

— Bonjour, Lana, dit Thaïs.

— Est-ce que Valérien est là ? demande celle-ci.

— Pas encore. Il est allé chercher une pièce pour son camion. Il va l'installer aujourd'hui.

« Il n'a pas touché à son camion depuis des siècles », pense Mélanie. C'est étrange que sa propre sœur ne le connaisse pas mieux. Il est tellement pris entre Lana et la réalité qu'un camion rouillé et tout ce qu'il y a à y faire ne l'intéresse plus. Mais Thaïs croit qu'il va encore chaque jour au bas de la colline réparer son camion.

— Pourquoi est-ce que tu ne vas pas l'attendre dans le Chevy? suggère Thaïs.

«Il fait terriblement froid dehors, pense Mélanie. Je ne suis pas sûre que Lana devrait... Qu'est-ce qui me prend? Je m'inquiète pour la santé de Lana? Je m'en fiche si elle attrape un rhume. Je souhaite qu'elle en attrape un bon qui l'oblige à rester au lit pendant toute une année.»

— Valérien sera bientôt de retour, continue Thaïs. Et tu sais que la première chose qu'il fera, c'est courir à son camion.

Du coin où elle est, Mélanie regarde par l'unique fenêtre de la cuisine, un petit carré vitré au-dessus de l'évier devant lequel madame Trahan tente de faire pousser quelques plantes. Il n'y a pas eu de coucher de soleil parce que celui-ci ne s'est pas montré de la journée. Le ciel sombre s'est simplement assombri encore plus et, à présent, durant l'heure précédant le souper, l'obscurité a atteint son apogée.

Thaïs parle en abondance du camion.

Au bout d'un moment, Burnouf s'éveille de son coma télévisuel pour rejoindre les deux filles dans l'entrée.

— Lana, je vais allumer la lumière de la cour pour toi, déclare-t-il.

Il joint le geste à la parole et la neige dans la cour se met à briller.

Mélanie aperçoit vaguement, au bas de la colline, la cîme enneigée des cèdres qui poussent près du camion. On ne voit pas le véhicule qui se trouve un peu plus bas.

L'étendue de neige est si paisible. « La neige recouvre toutes les laideurs », se dit Mélanie.

Thaïs entraîne Lana autour de la maison et l'accompagne même à mi-chemin, bien qu'elle n'ait ni son manteau ni ses bottes.

— Il sera bientôt là, assure-t-elle deux fois à Lana.

Celle-ci descend la pente, passant entre les buissons couverts de neige. Mélanie éteint dans la cuisine pour que Lana ne la voie pas. Elle peut à peine apercevoir cette dernière, dont l'ombre est en fait plus visible qu'elle-même.

Le petit corps de Lana se fraie un passage à travers la neige accumulée, s'enfonce profondément et disparaît du champ de vision de Mélanie.

Celle-ci baisse le store avant de rallumer dans la cuisine.

— Maintenant, mettons la table, lui dit vivement Thaïs en rentrant. Son nouvel emploi fatigue beaucoup maman. Je lui ai promis de préparer le souper deux fois cette semaine. Elle a découpé une recette de fruits de mer qui a l'air délicieuse. Tranche les oignons et fais-les sauter, pendant que je mets les biscuits au four.

— Heu... comment est-ce qu'on fait sauter des oignons ? demande Mélanie qui ne sait pas cuisiner.

Chez elle, ils commandent souvent des repas au restaurant ou préparent des mets tout simples tels des steaks et des pommes de terre bouillies.

Thaïs lui fait une démonstration et elles s'amusent beaucoup à préparer le repas ensemble.

Lorsque le reste de la famille rentre, Mélanie téléphone à ses parents pour leur demander la permission de rester à souper chez les Trahan. Elle se sent coupable de les délaisser encore une fois.

Le vrai bonheur, c'est d'être de nouveau assise à côté de Valérien.

Il sourit normalement ; il rit facilement.

Monsieur Trahan les régale d'histoires drôles.

— Excellent repas ! déclare madame Trahan.

— C'est le meilleur repas que j'ai mangé depuis longtemps ! affirme son mari, ce qui remplit Mélanie de fierté.

Celle-ci n'aurait jamais pensé que le simple fait de préparer de la nourriture lui vaudrait tant de compliments.

Valérien débarrasse la table, remplit le lave-vaisselle, rince les casseroles sales. Ça a toujours été sa tâche et il ne s'en plaint jamais. Sa mère prépare du café.

— Alors, dit-elle en souriant largement à son fils et à Mélanie. Vous êtes de nouveau ensemble, hein ? Lana a quitté la scène ?

« J'ai oublié Lana, pense Mélanie. Elle attend toujours Valérien dans le camion ! » Elle jette un regard à Thaïs pour lui signifier de prévenir son frère, ne désirant certainement pas le faire elle-même. Elle est aussi comble de bonheur que la nuit l'est d'obscurité. Elle ne veut même pas prononcer ce nom de peur de briser le bon sort, tel un glaçon se fracassant au sol.

Les paupières de Thaïs se baissent lentement, comme si elle clignait des deux yeux à la fois. Elle ressemble à Lana tout à coup, les yeux mauvais, à demi fermés. Des yeux qui ont vu de terribles choses, qui ont regardé de l'autre côté.

— Lana a quitté la scène, affirme Thaïs en souriant largement, elle aussi.

Son regard rencontre celui de son frère qui sourit à son tour. Mélanie en reste pétrifiée. Du coin de l'œil, elle observe Burnouf. Jamais le sourire de celui-ci n'a été aussi triomphant.

Mélanie n'a pas besoin d'être à l'extérieur

pour se sentir glacée. Elle a l'impression que ses amis l'ont réfrigérée.

— Tout ce qu'il manque, c'est de la crème glacée, dit madame Trahan. Sors-la donc, Mélanie!

Celle-ci se lève et va chercher le pot de crème glacée dans le congélateur.

Il y fait si froid. Les légumes et les desserts y restent congelés. Mélanie referme la porte, les abandonnant à leur triste sort. Ils restent là jusqu'à ce qu'on ait envie d'eux. Il n'y a pas de poignées à l'intérieur d'une porte de congélateur.

Pas de poignées.

«Il n'y en a pas à l'intérieur des portières du camion, se dit Mélanie. Lana ne peut pas sortir.

«Personne ne sait qu'elle est là.»

Il continue à neiger. Il fait de plus en plus froid dans la cabine du camion. Lana peut crier et frapper et mordre. Elle ne réussira pas à sortir. Il n'y a pas de poignées à l'intérieur.

Au matin...

Au matin, Lana Anctil sera gelée.

Comme Jason, elle restera assise derrière le volant. Elle pourrait rester là tout l'hiver. Monsieur et madame Trahan n'y vont jamais.

Et personne d'autre ne sait qu'elle est là.

— Qui veut du café ou du thé? demande joyeusement madame Trahan.

Valérien sourit. Il prendrait bien du café. Avec de la crème et du sucre.

Thaïs sourit. Elle prendra une tisane avec du miel.

Burnouf sourit. Il prendra du chocolat.

Ils ne sourient pas par politesse.

Ils sourient parce qu'ils savent où est Lana.

Ce ne sont même plus des sourires, mais des balafres.

Thaïs sait.

Valérien sait.

Et Burnouf — s'empiffrant de crème glacée — Burnouf sait.

— Mélanie? demande madame Trahan.

— Du thé, s'il vous plaît, répond-elle.

«Je ne suis pas responsable, pense-t-elle. C'est Thaïs qui l'a envoyée dans le camion. C'est Thaïs qui laisse le drame se produire.»

Seulement trois personnes sauront où est Lana Anctil. Comment elle est allée là-bas. Ce qui lui est arrivé.

Non!

En fait, quatre personnes.

Trois Trahan… et une Morin.

Mélanie Morin.

Quelques gouttes de son thé tombent sur la table.

Elle dépose sa tasse, puis cache sa main tremblante sur ses genoux.

« Non, Valérien, il ne faut pas détruire Lana. Il ne faut même pas y penser.

« Alors, il n'y aura pas de fin, Mélanie ? Jusqu'où Lana nous emmènera-t-elle ? On vieillira, on aura vingt ans, trente ans, cinquante ans, on deviendra vieux, et Lana nous persécutera toujours, gâchera toujours nos vies ? »

« Tu as gagné, Lana. Tu l'as gelé. »

« Oui, il est à moi. »

« Le Mal peut s'attraper. Le Mal peut se répandre. Le Mal a un pouvoir si grand et si terrible qu'il peut infecter même le meilleur des êtres humains. »

« C'est moi qui suis devenue mauvaise, se dit Mélanie.

« C'est moi qui reste là à boire une tasse de thé en attendant que passent les froides heures de la nuit pour que Lana Anctil se change en glace.

« Mon cœur.

« Mon cœur est gelé. »

Mélanie Morin se lève et se dirige vers la porte arrière. C'est difficile. Elle traîne les pieds. Elle tourne péniblement la poignée et le vent l'assaille lorsqu'elle parvient à ouvrir la porte.

Elle entend des voix dans son dos, mais ce sont des voix de Trahan. Les voix de gens pour qui la vie est facile. Les voix de gens qui s'attendent à ce que tout se passe toujours bien pour eux. Mélanie n'est pas certaine d'aimer encore les Trahan.

« C'est moi que je dois aimer le plus, pense-t-elle.

« Si je ne m'aime pas, je ne peux pas continuer à vivre. »

Le froid n'est plus un ennemi. Il la réveille plutôt et lui impose sa loi.

« Voilà ce que ça signifie de choisir le moindre de deux maux, se dit Mélanie Morin. Lana est le Mal, mais je serais encore pire si je la laissais mourir. »

Mélanie n'a jamais avancé dans une neige aussi épaisse, dans une obscurité aussi totale. Elle trouve le camion à tâtons. Elle ouvre la portière et Lana lui tombe dans les bras.

Mélanie l'aide à marcher.

— Viens chez moi où il fait chaud, dit-elle.

Lana ne dit rien.

Elle est peut-être trop gelée pour parler.

Ou peut-être… qu'elle a attendu toute sa vie d'entrer là où il fait chaud.

Dans la même collection

ACHEVÉ D'IMPRIMER
EN SEPTEMBRE 1997
SUR LES PRESSES DE
PAYETTE & SIMMS INC.
À SAINT-LAMBERT (Québec)